«Muy amados en el Señor, esta obra de
ra de la sensibilidad del corazón de est
dad indispensable en el verdadero educador, aquel que no solo ama su vocación
didáctica, sino también al sujeto que ha de bendecir con un entendimiento claro de las Sagradas Escrituras y su correcta aplicación al entorno particular. Entendiendo que el verdadero proceso educativo, no solo informa, sino que forma y transforma. La doctora Pagán propone hacer del aula de clases un verdadero laboratorio para el ejercicio del amor cristiano que nos hace uno en Cristo Jesús, Señor nuestro. Integrar en una experiencia educativa a niños y niñas con necesidades especiales no solo hace que la persona que dirige el proceso educativo crezca como creyente, sino que establece las condiciones óptimas para que se manifieste el amor que trasciende y nos hace uno. En un ambiente así, no solo se aprende la materia enseñada, también se comunican valores y enseñanzas en la propia interacción que supera las diferencias y las necesidades especiales. Los retos que este trabajo contiene son serios y deben ser determinantes en el desarrollo de la materia de educación cristiana. Definirán programas eclesiales y denominacionales para mejor equipar a nuestros ministros de la educación cristiana. Los seminarios, institutos y otras instituciones claves en la formación de ministros deberán tomar nota del reto que la doctora Pagán describe en este libro. Aprecio grandemente que tales desafíos y enseñanzas se hayan vertido en un lenguaje que está al alcance de todos, para que la iglesia del Señor se pueda edificar. Felicito a la doctora Pagán por traer tan importante y seria inquietud a la vista de todos. Solo espero que Dios nos guíe y nos ayude a responder con prontitud en tan seria encomienda. ¡Que así nos ayude Dios!».

—**Reverendo Miguel A. Morales**, Pastor General,
Iglesia Cristiana Discípulos de Cristo, Puerto Rico.

«El libro de la doctora Nohemí C. Pagán es un aporte valioso tanto para la educación cristiana como para la iglesia completa. En todas nuestras congregaciones hay personas con necesidades especiales que tienen también dones especiales. Tenemos que aprender no solo a amarles y servirles, sino también a ver en ellas un don de Dios. En esa dirección, este libro marca pauta, primeramente, para todo el ministerio de educación de la niñez; pero también para que toda la iglesia empiece a comprender y valorar a las personas con necesidades especiales. Nuestra fe nos impele en esa dirección y la doctora Pagán nos ofrece los instrumentos».

—**Doctor Justo L. González**, profesor, historiador, teólogo y escritor.
—**Doctora Catherine Gunsalus González**, profesora emérita de
Historia de la Iglesia del Columbia Theological Seminary.

«*Perfectamente diferentes* es uno de esos libros que debió escribirse antes. Sin embargo, es un tema muy serio y de gran exigencia que no podía escribirlo cualquiera. Me emociona ver que la doctora Nohemí Pagán aceptó el reto de Dios, y puso todo su amor y amplio conocimiento en las páginas de este libro. Sin duda, la iglesia tiene ahora en sus manos un recurso de valor incalculable que le abre las puertas para caminar de forma certera en el campo poco explorado de la educación para niños "perfectamente diferentes". Estoy convencida que motivará a la iglesia, a fin de crear ambientes apropiados y seguros para niños y niñas con necesidades especiales, y no solo asumirá su responsabilidad con el llamado a servir y educar, sino que también tendrá en sus manos una oportunidad evangelística de gran envergadura. Como directora de Expolit por veinticuatro años, he visto una iglesia ajena a estas necesidades, tal vez por la carencia de este tipo recursos. Ahora ¡no hay excusas! Este libro debe estar en la biblioteca de recursos de cada iglesia y ser lectura obligatoria para todo educador. ¡Es transformador!».

—**Marie M. Griffin,** Directora de Expolit.

«Creo que este libro es un reto para avanzar en el ministerio, pues los grupos especiales también requieren escuchar de Dios y la educación es un arma que el Señor entregó a su pueblo para transformar la vida del creyente y cumplir con la gran comisión. La doctora Nohemí nos presenta un contenido sencillo y dinámico para poner en practica la pedagogía de Jesús con los niños con necesidades especiales. En el corazón de este libro el lector comprenderá claramente la necesidad de la instrucción especial y la obligación que tiene la iglesia de hacer discípulos sin importar cual sea la condición del creyente. Recomiendo este libro con la esperanza de que el lector pueda reflexionar y cambiar el modelo de educación que ha imperado en nuestros ministerios».

—**Pastores Ricardo y María Patricia Rodríguez,**
Centro Mundial de Avivamiento, Bogotá, Colombia.

«En *Perfectamente diferentes*, la autora nos entrega un manual de enseñanza que nos capacita para trabajar con esta población olvidada. Su valioso material penetra en nuestra conciencia para que podamos ser una respuesta a estos niños que necesitan conocer el amor de Dios de forma diferente. Este libro refrescante y esperanzador para padres, niños y maestros, celebra las diferencias y ofrece alternativas para que esta población comprenda que Dios no se ha olvidado de ellos. Destruyamos barreras y construyamos puentes que nos acerquen unos a otros».

—**Norma Pantojas,** conferencista y autora, Puerto Rico.

«Quien marca la vida de un niño, determina el destino de una generación. Por eso, estoy seguro que disfrutará la lectura de este extraordinario libro de la doctora Nohemí C. Pagán, quien nos guía a prestar especial atención a los niños con necesidades especiales. Convirtamos la iglesia en el lugar más extraordinario para la niñez y ellos serán fuente de inspiración para todos».

—**Sixto Porras**, Enfoque a la Familia.

«La doctora Nohemí Pagán, ha plasmado una lluvia de ideas, pensamientos, posibilidades, estudios, experiencias, conocimientos, para dejar un legado trascendental en materia educativa, hecho que dejará huellas en la iglesia cristiana, incluyendo la forma de presentar las enseñanzas de Jesús y su Evangelio a través de la educación inclusiva. No dudamos que será una herramienta que trae esperanza a una sociedad que necesita volver la mirada a muchos "ángeles que brillan" y que esperan una mano amiga, extendida para enseñarles con amor».

—**Pastores Hermes e Iris Espino**, Casa de Oración Cristiana, Panamá.

«Como dice la doctora Nohemí C. Pagán, "todo proceso de enseñanza y aprendizaje debe alcanzar a todos los niños y niñas". Esto incluye de forma directa a los niños y niñas con capacidades diferentes. Uno de los grandes pasos que la iglesia moderna debe dar para encontrar a Dios en nuevas maneras es cambiar su imaginario de normalidad social occidental por un imaginario basado en capacidades en el Espíritu. Esto invierte la escala de valores sociales y ministerios: los últimos se vuelven primeros, los más débiles en muy fuertes y los niños y niñas con capacidades diferentes se reciben como maestras y maestros en la comunidad del Espíritu. Como abuela y abuelo de un niño perfectamente diferente, le damos gracias a la doctora Nohemí Pagán por este regalo pedagógico y recurso urgente para la pastoral cristiana. Herramienta transformadora para la familia de estos maravillosos "ángeles que brillan"».

—**Pastora Karla J. García y doctor Oscar García-Johnson**, Seminario Teológico Fuller, California, USA.

«A través de los años, la Iglesia de Jesucristo ha realizado labores sorprendentes para la expansión del reino de Dios a favor de la sociedad. Lamentablemente en ese ávido deseo de hacer obras sobresalientes, nos hemos olvidado de personas vulnerables miembros de este cuerpo: los niños y miembros especiales de nuestras congregaciones o como les llama la doctora Pagán en este interesante libro: "los ángeles que brillan". Consideramos que este nuevo material presentado por nuestra amiga y compañera Nohemí, nos permitirá agregar elementos fundamentales a nuestro conocimiento, material de consulta y aplicación ministerial con el propósito de servir integralmente a los todos los santos de Dios. Agradecemos la confianza de expresar nuestra reflexión al presente material, ya que no se nos hace difícil hacerlo conociendo la integridad, el ministerio, la trayectoria y la dedicación educativa de la escritora».

—René y Hanelory Molina, pastores principales,
Restauración. Los Ángeles, California.

«Una vez más, con este libro, la iglesia recibe un desafío de vida. Propagar la buena noticia es la meta de nuestra fe. Entonces, he aquí un texto con futuro, sobre todo, para atender eficazmente la población de más posibilidades: la niñez y, dentro de esta, aquella que es "perfectamente diferente". La doctora Nohemí Pagán nos propone el disponernos a evaluar nuestra respuesta y conocimiento ante este grupo tan especial de personas. ¿Cuál es su intención? Que asumamos nuestra responsabilidad y respondamos comprendiendo, valorando, amando e integrando esta comunidad al cuerpo de Cristo. ¿Lo más importante? Estamos frente a un trabajo profesional, sensible, hermoso y sobre todo necesario. Nos ofrece herramientas para transformar la incertidumbre en fortaleza, la impotencia en capacidad y la soledad en acompañamiento».

—Doctora Lydia Pagán, pastora, profesora y conferencista, Puerto Rico.

«La iglesia evangélica ha contribuido de forma excepcional en la educación. Muchas generaciones en todo el mundo han recibido el aporte de hombres y mujeres que en su actividad diaria siembran semillas de vida a corazones que están ávidos de aprender. La doctora Nohemí C. Pagán aporta un elemento más a la enseñanza, sobre todo de corazones que aparentemente son más frágiles, pero que sin duda son almas que tienen un gran potencial y que deben tener una educación especializada y cuidadosa por parte de las iglesias. La doctora Pagán ha sido muy generosa en señalarnos esta área de oportunidad que debemos asumir con pasión. Una obra que sin duda aportará mucho a un sector dinámico como lo es la educación cristiana».

—Licenciado Aarón Cortés,
Director de comunicación de ICI AR, México.

Aprende a hacer de la iglesia un lugar seguro
para niños y niñas con necesidades especiales

PERFECTAMENTE
DIFERENTES

Dra. Nohemí C. Pagán

PATMOS

Dedicatoria

A ti, Angelito, va mi primer reconocimiento, pues ocupas un lugar importante y de honor en mi vida. ¡Tú me inspiraste a escribir este libro! Contigo nace en mi corazón la expresión «ángeles que brillan».

A Nelly, Omar Alexandre y Ronaldo, quienes representan a los «ángeles que brillan» que nos motivan a trabajar con respeto, dignidad y pasión en favor del reino de Dios. ¡Por y para ellos es este proyecto!

A Dámaris Santiago, mi amiga de muchos años, ingeniera química con una maestría en teología, y madre de Omar, niño con síndrome de Down; y a Yasmín Lugo-Pagán, mi nuera, y doctora en sicología. Ambas son importantes colaboradoras en este proyecto educativo que nació en mis sueños, en mi corazón, y que luego de importantes diálogos y mucha investigación, se hizo una realidad.

Y a mi esposo, Samuel, quien me infundió ánimo, me acompañó en cada paso de este viaje de investigación y redacción, y tomó mi mano para juntos soñar y luego hacer realidad aquellos sueños.

Contenido

Prefacio

El libro que tienes en tus manos es un esfuerzo serio y sistemático que desea ampliar el panorama de posibilidades educativas en las iglesias, particularmente para servir a un sector importante y vulnerable de la comunidad cristiana. Es una obra que anhela expandir el programa educativo de las congregaciones, cuyo objetivo es ser inclusiva, amplia, transformadora, responsable y contextual. Es un proyecto literario que intenta tomar en consideración el mundo amplio de niños que llegan a las congregaciones con deseos de aprender y disfrutar las enseñanzas del evangelio. Es un intento sobrio y sabio que aspira a incorporar a la niñez con necesidades especiales, o como les identifica la autora, «los ángeles que brillan», en los programas de educación cristiana en las iglesias.

La educación cristiana es un esfuerzo serio y sistemático que organizan las iglesias que desean transmitir la naturaleza, las verdades, los propósitos y las virtudes del evangelio de generación en generación. Ese tipo de educación no es un entretenimiento semanal para mantener activa a la niñez de las iglesias, sino un proyecto de vida que tiene como finalidad fundamental ser fieles y obedientes al mandato divino que se desprende de las enseñanzas de Jesús de Nazaret. Y ese importante proyecto pedagógico debe llegar a todos los sectores de la comunidad, incluyendo a la niñez con necesidades especiales.

En este libro, la doctora Nohemí C. Pagán desea expandir los horizontes educativos de las congregaciones hasta llegar a esos sectores de nuestras comunidades que, por desconocimiento o prejuicio, se han visto ignorados o marginados en los procesos educativos eficientes y transformadores. Esta obra es ciertamente un desafío extraordinario, que debe motivar a todas las congregaciones cristianas a organizar programas educativos relevantes que lleguen a los diversos sectores de la comunidad, particularmente a la niñez con autismo y otras condiciones físicas o emocionales que les impiden funcionar como el resto de la niñez.

En efecto, este nuevo libro de la doctora Pagán es una llamada de atención o alerta a los líderes pastorales y educativos de las iglesias, para que, al cumplir cabalmente la gran comisión cristiana, no se olviden de una niñez singular que para Jesús tuvo una gran importancia teológica y misionera.

Una de las virtudes de las investigaciones, reflexiones y recomendaciones que se incluyen en este libro, es que desafía a las iglesias y sus líderes a expandir sus programas congregacionales, con la intención de llegar a estos sectores minoritarios de la población, y que se percaten que, al hacerlo, no solo bendicen a los niños con condiciones especiales, sino que apoyan a sus familias y sirven de ejemplo para la comunidad en general.

Te doy la más grata y cordial de las bienvenidas al nuevo libro de Nohemí, e invito a pastores y pastoras, a educadores cristianos y a los creyentes en general, a que lean y estudien esta obra. Les permitirá descubrir y disfrutar nuevas áreas de servicio cristiano y les ayudará a organizar proyectos educativos congregacionales que sean eficientes, gratos, pertinentes y transformadores.

¡Enhorabuena!

—Dr. Samuel Pagán
Teólogo, escritor y traductor de la Biblia.
Salinas, Ecuador, 25 de mayo del 2018.

Introducción

La educación cristiana para la niñez es un esfuerzo que organiza y dirige el ministerio pedagógico de cada iglesia local. Busca la formación integral, bíblica, teológica y espiritual de la población infantil de las congregaciones, para llevar a efecto la misión de la iglesia. Este proyecto educativo, por lo tanto, es una parte básica e importante de la vida y la misión de las congregaciones y las denominaciones cristianas. En esos procesos de enseñanza, se identifican y toman en consideración las características, los estilos de aprendizaje y las necesidades de ese sector tan importante de la comunidad de fe.

En efecto, trabajar con nuestros niños es un arte que requiere el uso de diferentes métodos y técnicas, con el propósito básico y definido de transmitir y afirmar los valores cristianos e incentivar el crecimiento en la fe. La finalidad es contribuir a la formación integral de este importante sector de las comunidades de creyentes.

En el desarrollo e implantación del proyecto educativo, la educación cristiana efectiva utiliza la Biblia como el libro de texto básico, para identificar, afirmar, promover e incentivar la aplicación de sus valores y sus enseñanzas. Además de la Biblia, debe utilizar otros libros y materiales disponibles que sirvan como recursos pertinentes para fortalecer y afirmar la presentación y el desarrollo de los temas que se van a utilizar en el proceso educativo.

La educación cristiana toma sus ideas de dos áreas diferentes del mundo eclesiástico: La teología, que trata sobre Dios, y las actividades divinas en medio de la sociedad y la historia de la humanidad; y la pedagogía, que afirma la transmisión de valores éticos, morales y espirituales de generación en generación, para mantener la fe y contribuir a la aplicación de los valores cristianos en cada cultura.

Para que la educación cristiana sea buena y transformadora, debe afirmar y destacar los valores que se ponen de manifiesto en las Escrituras, y que son pertinentes en nuestro contexto. Y entre esos valores se pueden identificar los siguientes: La justicia, el perdón, la reconciliación, el amor, la misericordia, el respeto, la paz y la dignidad, entre otros. Las metas deben estar fundamentadas en la fe cristiana, y en los valores que se ponen de manifiesto en la Biblia, específicamente en las enseñanzas de Jesús de Nazaret. Y una de las áreas importantes del cristianismo, incluye el lograr acercarnos a la niñez con respeto, y tratarlos con la dignidad que se merece todo ser humano. El buen trato, unido a la transmisión de información de excelencia, son fundamentales en todo proceso educativo pertinente y transformador, especialmente en nuestras congregaciones.

Cuando se trata de educación cristiana, se deben tomar seriamente en consideración los siguientes conceptos: Dios y la transmisión de valores. El trabajo educativo con la niñez, es el ministerio que desea llevar a los niños a descubrir y disfrutar el amor de Dios, y que los motive a servir al Señor. Esa meta pedagógica se alcanza por medio del crecimiento espiritual, y a través de procesos informativos, formativos y transformativos. Uno de los valores más importantes de la fe cristiana, que en algunas ocasiones no se logra comprender de forma adecuada, de acuerdo con las enseñanzas de Jesús de Nazaret, es amar a Dios sobre todas las cosas, y al prójimo como a uno mismo.

De fundamental importancia es comprender que el crecimiento espiritual se demuestra claramente, al poner en práctica los valores cristianos que hacen que los seres humanos actúen con cordura, sobriedad, sabiduría, misericordia y en bienestar de los demás. El crecimiento en la fe se pone de relieve, al vivir y compartir los valores indispensables de la vida cristiana: Perdón, amor, respeto, honestidad, integridad, entre otros.

En los procesos educativos relevantes y transformadores para la niñez, es de suma importancia saber ¿cómo y cuándo un niño o niña está creciendo espiritualmente? La educación cristiana pertinente y sólida incentiva el aprendizaje y el crecimiento espiritual en nuestra niñez, que se demuestra, cuando vemos el desarrollo de nuevas actitudes hacia la vida y sus desafíos, particularmente en la participación de los niños en los programas de la iglesia. Los procesos educativos para este singular sector congregacional demuestran efectividad, cuando los niños:

- ▶ Proyectan aprecio, amor y deseos por estar en la iglesia para aprender.
- ▶ Se entusiasman por conocer sobre la Biblia y sus historias.
- ▶ Desean estar presentes y participar de las actividades infantiles de la congregación.
- ▶ Manifiestan interés por incorporar a su familia, amigos y amigas en las actividades de la congregación.
- ▶ Se levantan con rostros alegres y transformados listos para encontrarse con las personas que aman, respetan y tienen algo nuevo que contarles.

Cuando la presencia de estos cambios de actitudes en la conducta de los niños es notable, se puede entender de forma amplia y precisa que ha comenzado un proceso franco de crecimiento espiritual. Además, es importante entender que el proceso de crecimiento espiritual no tiene final. Ayudar a otros, en nuestro caso a la niñez congregacional, sin importar la edad y sin tomar en cuenta el nivel social, económico, o de conocimiento o aprendizaje de las personas, es la meta fundamental del trabajo serio y responsable de la educación cristiana transformadora.

De acuerdo con los evangelios, Jesús mismo le pidió a Pedro que alimentara sus corderos (Jn 21.15), y luego le indicó que alimentara sus ovejas (Jn 21.16-17). La referencia a los corderos se puede relacionar con la niñez, y la alusión a las ovejas se asocia a los jóvenes y adultos. Es decir, que el proceso educativo congregacional debe incorporar a toda la iglesia, incluyendo a los niños. Porque para Dios, la niñez es un componente muy valioso e importante en los procesos educativos de las congregaciones y denominaciones cristianas.

Cuando se habla sobre lo importante que fueron para Jesús los niños, es muy necesario recordar que este sector de la población incluye a los intelectualmente desarrollados, hiperactivos y con algún retraso emocional e impedimentos físicos; además de los niños con síndrome de Down, invidentes, sordos, mudos o que tienen distintos niveles de autismo.

De acuerdo con los estudios de la UNESCO (p. ej., el análisis de Danielle Van Steenlandt), una de las nuevas tendencias significativas que se puede constatar en la evolución de la educación general de niños y niñas con alguna discapacidad en los últimos dos decenios, es la de su «integración» en la educación común, superando la opción de una educación segregada.

Los esfuerzos sistemáticos que se han estado realizando en los últimos años para integrar a la niñez «con necesidades especiales» en la escuela regular, datan de los años setenta, en los países escandinavos de Europa y en Estados Unidos. Este movimiento integracionista se fundamenta en la idea de la «normalización» como principio rector en el ámbito de los servicios asistenciales a personas discapacitadas.

Actualmente, la idea de integrar los niños y niñas con algún nivel de discapacidad a la educación común, se presenta como un tema importante en la esfera de la educación especial en varias partes del mundo. Si esta realidad de integración comenzó hace muchos años, y todavía sigue siendo un tema de vital importancia en la actualidad, la pregunta que los educadores cristianos debemos hacernos, es: ¿Por qué muchos de los creyentes especializados en estos temas no han comenzado a desarrollar programas de educación cristiana transformadora para esta población eclesiástica tan importante para Jesús (Mt 11) y para la sociedad contemporánea?

Este libro pretende incentivar y animar a las congregaciones cristianas, especialmente las que conocen poco o nada sobre estos temas, a comenzar a identificar y estudiar los casos que tienen en sus iglesias. Desea lograr que los pastores aprendan la importancia de invertir el tiempo y los recursos necesarios para iniciar un proyecto educativo que prepare bien a sus líderes para trabajar en este singular ministerio.

Anhela que, ya iniciada la preparación de estos líderes, los grupos de educación cristiana incorporen y comiencen a trabajar con este sector de la niñez en todos los programas que se puedan incorporar. Finalmente, esta obra aspira que, en todo este proceso de enseñanza y aprendizaje, se logren transformaciones educativas importantes, que lleven a estos niños y niñas a vivir a la altura que se merecen, con dignidad, honor, igualdad, justicia, como debe ser tratada toda la población infantil, dentro y fuera de la iglesia.

CAPÍTULO I

Lo que toda persona en el ministerio de educación cristiana debe saber

¿Qué es educación?

El origen de la palabra educar viene de la palabra latina *educāre*, que significa literalmente dirigir o encaminar. Por lo tanto, educación es acción; es la acción de educar. Y desde el punto de vista del cristianismo, y del ministerio de la educación cristiana, no se puede concebir la acción de educar separada de Dios y de las Sagradas Escrituras. La educación cristiana en las congregaciones está íntimamente ligada a la Biblia, y a las enseñanzas y los valores que se desprenden de su lectura.

En relación a este importante tema, algunos estudiosos indican que, desde el punto de vista del cristianismo, la educación buena incentiva el compañerismo y fortalece la comunidad. La educación informa y refuerza todas las actividades con las que la iglesia logra sus propósitos misioneros. Es por esta razón de importancia que los creyentes debemos valorar el rol socializador de la educación, tanto en la iglesia como en la sociedad. La educación verdadera y transformadora consiste en la socialización metódica que presentamos de manera continua a las nuevas generaciones.

Tomando en cuenta el papel de la religión en la educación y en su rol socializador, se puede afirmar que el quehacer educativo es un proceso dinámico y activo. Educar, afirman varios especialistas del tema, es conducir de un estado emocional o intelectual a otro; además, es modificar y mover a los estudiantes en una cierta dirección ética y moral, lo que es susceptible en la educación. El proceso educativo no tiene final en los seres humanos. Está en acción y presente durante toda la vida, tanto en los maestros como en los estudiantes.

La educación cristiana está relacionada con el mensaje y el fundamento ético y teológico del cristianismo. Esta base fundamental, a su vez, guarda relación estrecha con las predicaciones, los mensajes y las lecciones del Maestro por excelencia, Jesús de Nazaret. Por lo tanto, la educación cristiana debe transmitir los valores, las actitudes, las formas y los estilos de vida a los creyentes en Jesús, el Cristo. Esta nueva vida en el Señor, transmitida en los procesos educativos transformadores, producen cambios significativos en los individuos y en los grupos que abrazan la fe. La educación cristiana, por lo tanto, debe lograr una serie de cambios en las personas con distintas características, virtudes y valores, que formen y transmitan lo que es la naturaleza misma de lo que constituye la vida cristiana.

La metodología de enseñanza debe ser como la que utilizó Jesús: íntima, desafiante, grata, personalizada y de forma directa. Siempre procuró llevar al pueblo que educaba hacia la verdad que les haría libres: «Dijo entonces Jesús a los judíos que habían creído en él: si vosotros permaneciereis en mi palabra, seréis verdaderamente mis discípulos; y conoceréis la verdad, y la verdad os hará libres» (Jn 8.31-32).

¿A quiénes enseñamos?

Como educadores y representantes de la iglesia del Señor, nuestra labor es múltiple: Ayudar a las personas a que participen de los programas de educación para desarrollar la fe en el Señor; promover el conocimiento y la vida a la altura de los valores cristianos; y motivar a que afirmen, como parte de su estilo de vida, el amor por los demás. Enseñamos el mensaje bíblico a la población de adultos, jóvenes, niños, de modo que sean capaces de alcanzar su potencial para ser mejores personas y que logren ser de ayuda a otros que desean ser parte de la familia de creyentes. Cuando nos enfocamos con pasión y dedicación a la niñez, a los hombres, a las mujeres y a la juventud que se entusiasman por participar en los programas de educación cristiana que ofrecemos como pueblo de Dios, logramos contribuir de manera significativa al mundo, al promover valores que desarrollan ciudadanos plenos, emocionalmente balanceados y con buena salud mental y espiritual.

No educamos a una población de manera impersonal, para que se hagan realidad nuestros propios sueños y logremos alcanzar nuestros intereses, sin preocuparnos por el camino que toman aquellos a quienes enseñamos. Eso sería lograr un equilibrio de nuestras deficiencias e impedir el propósito de Dios con los seres humanos. Ser un educador cristiano es un privilegio que nos concede el Señor para lograr ayudar a las personas de todas las edades, de todas las lenguas, géneros, razas, a entender el propósito de Dios con cada uno de ellos. El plan divino está escrito: «Porque yo sé muy bien los planes que tengo para ustedes —afirma el Señor—, planes de bienestar y no de calamidad, a fin de darles un futuro y una esperanza» (Jer 29.11, NVI).

Todos debemos conocer o tratar de conocer la razón para la cual hemos nacido. La descubrió el apóstol Pablo cuando expresó: «Dios me había apartado desde el vientre de mi madre y me llamó por su gracia. Y, cuando él tuvo a bien revelarme a su Hijo para que yo lo predicara entre los gentiles, no consulté con nadie» (Gá 1.15-16, NVI).

Cuando ayudamos a descubrir el propósito de Dios para la vida de nuestros estudiantes, nada los va a detener a responder al llamado de Dios y la vida cobrará sentido para los que respondan sin reclamos. La niñez siempre fue prioridad en el ministerio de Jesús, pues para el Maestro ese sector social tenía un potencial extraordinario. Dos de sus mensajes más importantes y desafiantes a los discípulos, afirman la prioridad educativa que debía tener este sector de la sociedad: «El que recibe en mi nombre a este niño...» (Lc 9.48, NVI); y, «Dejen que los niños vengan a mí...» (Mt 19.14, NVI).

La educación que se imparte a la niñez, en efecto, es para toda la vida. Además, los niños tienen la capacidad apasionada de incorporar al resto de sus familias en el proceso educativo y en los programas congregacionales. Las actitudes y las decisiones de los niños, tienen gran poder de persuasión y capacidad multiplicadora.

La educación cristiana es uno de los ministerios esenciales de la iglesia por el que preparamos a la gente para recibir el evangelio de Cristo en la conversión y la entera consagración. También deseamos inspirarlos y dirigirlos a una experiencia de crecimiento espiritual, personal, profesional y familiar. Y en ese singular proceso educativo de crecimiento integral, es importante afirmar que toda la niñez debe estar incluida. Los niños con necesidades especiales tienen el derecho a una educación inclusiva, de calidad, en igualdad de condiciones que el resto de la niñez y la congregación. Este sector de las iglesias y la sociedad no es un apéndice que podemos ignorar o subestimar. La verdad es que forman parte de las comunidades de fe, y requiere respeto y reconocimiento de su dignidad.

¿A quiénes enseñamos? Enseñamos a una población de creyentes y no creyentes que el Señor ha puesto sobre nuestras manos. Todos desean crecer, madurar y desarrollarse, de acuerdo con el propósito de Dios. Cada una representa diferentes situaciones, necesidades y desafíos, que nuestro Creador desea que cada líder atienda de manera responsable, comprometida, apasionada y fiel. Hay mucho que enseñar, y una población incontable que desea aprender.

Objetivos de la educación cristiana

En torno a los objetivos fundamentales de la educación cristiana, podemos afirmar, con una serie extensa de estudiosos del tema, que su objetivo básico y fundamental es focalizar la relación de la persona con Dios, es incentivar la cercanía de los creyentes con el Señor, de acuerdo con las enseñanzas y los valores que se presentan en las Sagradas Escrituras.

La educación cristiana de una persona hace de él o ella un mejor cristiano. El objetivo es lograr conocer, amar e imitar al Señor. Por medio de la figura y el ministerio pedagógico de Jesús, los educadores cristianos pueden desarrollar un proyecto transformador que incentive alcanzar esa vida plena con nuestro Creador. Aunque es muy difícil concebir la educación cristiana no teniendo a Dios en el centro, y a consecuencias del ambiente de pecado en la vida de los creyentes, es urgente y necesario desarrollar los programas educativos bajo el fundamento de Dios el padre, y Jesucristo nuestro Señor.

1. Conocer a Dios

En relación al tema de conocer a Dios, San Agustín indica en su libro *Las confesiones*: «Que yo te conozca, conocedor mío, que yo te conozca como tú me conoces. Virtud de mi alma, entra en ella y ajústala a ti, para que la tengas y poseas sin mancha ni arruga». Conocer a Dios implica un cambio radical en la mente y en las actitudes.

2. Amar a Dios

De acuerdo con la Biblia, las repercusiones del concepto «amor», tanto en el Antiguo como en el Nuevo Testamento, no engloban solo aquello referente al ámbito emocional de la vida, sino que involucra otras dimensiones de la realidad, como lo son las esferas de lo intelectual y de la voluntad. El conocido *Shemá Israel* dice: «Y amarás a Jehová tu Dios de todo tu corazón, y de toda tu alma, y con todas tus fuerzas» (Dt 6.5). Y en el Nuevo Testamento, en relación al mandamiento más importante, la Biblia dice: «Y amarás al Señor tu Dios con todo tu corazón, y con toda tu alma, y con toda tu mente, y con todas tus fuerzas. Éste es el principal mandamiento» (Mr 12.30).

3. Imitar a Dios

A través de los años, muchos creyentes se han preocupado por ser «modelos a imitar», por medio de sus vidas, en sus hogares, ministerios y áreas de trabajo, especialmente para la niñez y la juventud. El tercer elemento como objetivo de la educación cristiana, es «imitar a Dios».

Un ejemplo clave en torno a este importante tema, lo presenta el apóstol Pablo, cuando dice: «Sed imitadores de mí, así como yo de Cristo» (1 Co 11.1). Y en el versículo anterior, dice: «No procurando mi propio beneficio, sino el de muchos, para que sean salvos» (1 Co 10.33).

No es su propia gloria lo que está detrás de las palabras del apóstol; es la importancia de ser imitadores de Jesucristo lo que hace relevante ese testimonio. El perfecto amor a Dios y al prójimo es la mejor manera de ser imitadores de Dios: «Sed, pues, imitadores de Dios como hijos amados» (Ef 5.1).

4. Dirigir a los creyentes en un proceso de formación balanceado

Los procesos requeridos para generar una educación cristiana transformadora y balanceada, son dirigidos por seres humanos que están amparados bajo la gracia, dirección y ayuda del Espíritu Santo. Esa unión entre las personas que enseñan y el Espíritu Santo, permitirá que la clase sea guiada a comprender, vivir, disfrutar y llevar las verdades del evangelio.

5. El fundamento de la enseñanza es la Palabra de Dios

El enfoque no es que ellos adquieran mucho conocimiento, que es bueno, sino que vivan a la altura de las enseñanzas de la Palabra de Dios. Cuando Jesús comisionó a sus discípulos dijo: «Enseñándoles a obedecer todo lo que les he mandado a ustedes. Y les aseguro, que estaré con ustedes siempre, hasta el fin del mundo» (Mt 28.20, NVI).

La orden de nuestro Señor, el Maestro de maestros, es a enseñar la importancia de la obediencia al mandato divino y a vivir de forma justa y agradable a los ojos de Dios. Ese debe ser el fundamento de nuestra enseñanza adquirido por la Palabra de Dios.

¿Qué es la educación cristiana inclusiva para la niñez?

Este tipo pedagógico, es un modelo educativo que da respuesta a las necesidades de aprendizaje de la niñez en general. ¡No se debe excluir a nadie a la hora de enseñar ni al momento de brindar oportunidades de aprendizaje! Las iglesias tienen que encontrar la manera de educar con éxito a todos los niños. La educación cristiana efectiva e inclusiva, tiene que ver con cómo, dónde, por qué y con qué consecuencias educamos a nuestros alumnos. ¡No es solo transmitir información!

En este tipo de proceso educativo transformador, se incluye a todos: niños y niñas (no importa el sexo), blancos, de color, asiáticos (no importa la raza), ricos, pobres, de clase media (no importa la condición social), con necesidades especiales (no importa su condición física, mental, emocional, sicológica) y de cualquier trasfondo religioso (no importa si provienen de otros grupos cristianos diferentes a los nuestros u otras religiones).

La meta básica y fundamental de la educación cristiana transformadora

La meta básica y fundamental de la educación cristiana transformadora es ayudar a la niñez a crecer, madurar y disfrutar la vida en Cristo. El cambio de conducta lleva a los seres humanos a transformar su manera de pensar y actuar, hasta lograr disfrutar un tipo de vida con propósitos de bienestar, seguridad, paz, amor… Ese proceso de cambios, crecimiento, transformación y madurez, se logra de la siguiente manera:

- ► Cuando se revisan las prioridades en la vida: «Ya no vivo yo más Cristo vive en mí…».
- ► Cuando se modifica el carácter y la conducta, a la luz del ejemplo de Jesús: «Si es posible que pase de mí esta copa, pero que no se haga mi voluntad…».
- ► Cuando se descubre la voluntad divina para mí, mi familia, mi iglesia, mi nación…

Deseamos preparar a nuestra niñez para un servicio eficaz a la iglesia y al mundo. La finalidad no es el entretenimiento, sino la transformación espiritual y el crecimiento personal. La educación cristiana es uno de los ministerios más importantes de la iglesia, pues promueve el desarrollo de una buena espiritualidad cristiana en nuestra comunidad infantil.

El deseo mayor del trabajo transformador con la niñez es hacer discípulos, incentivar el crecimiento para que se establezca una relación grata de respeto e intimidad entre los líderes y la niñez que se levanta amando al Señor. El mandato misionero de Jesús es «hacer discípulos», no espectadores religiosos, ni supervisores de la experiencia religiosa o espiritual. Nuestra niñez es parte de nuestro campo misionero. ¡Los niños aprenden y crecen con el modelo de sus maestros, y ciertamente en diálogo con sus líderes!

La tecnología en la educación cristiana para la niñez

El mundo evoluciona y la educación también, y el modelo tradicional de enseñanza y aprendizaje a través de libros y pizarras con tizas, está en una etapa terminal. Hace varios años que la tecnología entró con fuerza para mejorar los procesos pedagógicos y ahora ya es una parte vital de esas dinámicas educativas.

Los niños y adolescentes de hoy comienzan en el mundo digital desde muy temprano en la vida, y no sería lógico ni efectivo apartar esa tecnología de su día a día en el mundo académico. El uso de la tecnología en las escuelas bíblicas hace incrementar el interés de los alumnos en las actividades bíblicas y ayuda a desarrollar el aprendizaje de los niños.

El acceso al mundo cibernético de la Internet, y también a una gama extensa de dispositivos tecnológicos (p. ej., teléfonos móviles, tabletas, pizarras interactivas, recursos electrónicos, etc.), tanto en el aula de clase como fuera de ella, ha dado un giro importante a la educación tradicional, aportando distintos beneficios:

- ▶ Facilita la comprensión. El uso de herramientas tecnológicas motiva y hace que los estudiantes mantengan la atención más fácilmente. En consecuencia, los contenidos se asimilan más rápido.

▶ Autonomía. Desarrollan el autoaprendizaje para formar personas autosuficientes, capaces de resolver cualquier problema real. El uso de tecnologías propicia proponer estudios de casos y hacerles partícipes de la propia administración y gestión de los contenidos. Se trata de una metodología donde se enseña a los alumnos a aprender a construir su propio conocimiento. Además, el Internet permite infinidad de fuentes de información y propicia la habilidad de seleccionar y gestionar la más apropiada.

▶ Trabajo en equipo. La tecnología genera interacción entre los alumnos y favorece el trabajo en equipo. En el ámbito profesional la mayoría de los proyectos que se desarrollan son en equipo y requieren la colaboración de diferentes profesionales, desarrollar la capacidad de trabajo en equipo ya desde niños es fundamental.

▶ Pensamiento crítico. Internet y las redes sociales significan compartir puntos de vista y opiniones, debatir es muy importante cuando los cerebros se están desarrollando. Además, la enorme posibilidad que te da la tecnología de romper el paradigma espacio-tiempo, permite interconectar infinitas fuentes de conocimiento a nivel mundial, conectar con personas de otros países y culturas e intercambiar información.

▶ Flexibilidad. Los estudiantes pueden seguir ritmos distintos en su aprendizaje teniendo contenidos adicionales o materiales de apoyo dependiendo de las necesidades.

La penetración de la tecnología en la educación cristiana no solo aporta beneficios a los alumnos sino también a los profesionales. El uso de la tecnología ayuda a la optimización de las tareas de los profesores y hace su trabajo más atractivo, llegando a ser mucho más eficientes.

Los niños y los adolescentes han nacido con la tecnología y les gusta. Debemos aprovechar este hecho para guiarlos a aprender y fortalecer los valores bíblicos y espirituales por medio de ella.

Diferentes formas de aprender

La forma en la que estudiamos y particularmente aprendemos afecta y afectará toda nuestra vida. Y algunos ejemplos que podemos evaluar pueden ser: cómo son los sentimientos acerca de nosotros mismos, cuál es nuestra actitud y voluntad de probar cosas nuevas, de qué forma contribuimos a la sociedad, y cuál es el nivel de compromiso con Dios, con nosotros mismos, con nuestra familia y con la iglesia.

Exploramos en esta sección las diferentes formas de aprender, presentando los cuatro estilos de aprendizaje que poseen nuestros estudiantes y que no debemos ignorar en el proceso educativo. Considero que conocer estas cuatro formas de crecer, es crucial para que nuestros niños tengan éxito en sus escuelas, en el hogar, en la sociedad, en la vida.

Conozca el estilo de aprendizaje de sus alumnos

Las personas son únicas en sus propios gustos y formas de aprender. En ocasiones, los maestros enseñan tal y como a ellos les enseñaron, o de acuerdo con el estilo como ellos aprendieron, sin tomar en cuenta que cada alumno es diferente y aprende de forma diferente.

La forma en que un alumno aprende no tiene relación con su inteligencia ni con su contexto social y económico. Su estilo está profundamente arraigado a su formación sicológica. Los maestros debemos capacitarnos para atender la diversidad de estilos de aprendizaje de nuestros alumnos.

Al conocer los diferentes estilos de aprendizaje, nuestra tarea como educadores cristianos puede ser más desafiante, pero con mayores satisfacciones e importantes logros. Es necesario reconocer que ya no podemos enseñar de la forma que nos gusta aprender ni tampoco dar por correcto que todos aprenderán. Y mucho más importante: ¡No podemos juzgar y decidir quién es inteligente y quién no lo es! Los estilos de aprendizaje nos obligan a evaluar cómo enseñamos. No se trata de que cada persona se sienta más a gusto con un estilo en particular, sino que cada estilo contribuye de forma importante al proceso de aprendizaje total. Es muy importante que los maestros piensen en sus alumnos, y que los puedan diferenciar por su estilo o tipo particular de aprendizaje a la hora de enseñar.

Tipos de alumnos

De acuerdo con los estudios y escritos de Marlene D. LeFever, existen cuatro tipos principales de alumnos:

▸ El alumno imaginativo: Presenta una gran sensibilidad a todo lo que lo rodea, y por consiguiente se la pasa preguntando y tiene una percepción amplia de lo que se le está enseñando.

▸ El alumno analítico: Aprende de mirar y escuchar, evalúa la información proporcionada por el profesor, tiene la capacidad de realizar planes y metas, aspira a la perfección y gusta de los métodos tradicionales de enseñanza.

▸ El alumno de sentido común: Es racional, por tanto, gusta de analizar las ideas y comprobar la teoría con la realidad, para así aplicar lo aprendido; es práctico y su aprendizaje es más significativo cuando va acompañado de alguna actividad.

▶ El alumno dinámico: Le gusta la acción en el proceso de aprendizaje, es intuitivo, le gustan los riesgos, recibe muy bien los cambios, y es muy original; es creador de nuevas ideas.

Cada alumno complementa a los otros, lo que facilita el proceso de enseñanza y aprendizaje. Conocerlos permite a los maestros dar a cada alumno la oportunidad de aprender y participar activamente en la clase.

¿Qué espera cada alumno?

▶ El alumno imaginativo se pregunta: ¿Por qué necesito saber esto? Busca significados…

▶ El alumno analítico inquiere: ¿Qué necesito saber? Está interesado en el contenido.

▶ El alumno de sentido común reclama: ¿Cómo funciona esto? Tiene el deseo de experimentar.

▶ El alumno dinámico investiga: ¿Qué puede llegar a ser esto? Se interesa por la aplicación creativa de la enseñanza.

Los maestros deben asegurarse de que su lección tenga en cuenta los cuatro tipos de aprendizaje. Así ofrecerá respuesta a cada una de las preguntas de sus alumnos. De esta manera, los puntos fuertes de cada estudiante sobresalen en la clase y dan significado a la lección.

También los maestros tienen sus propios estilos

Finalmente, es importante considerar que así como cada alumno es diferente, los maestros también lo son, y tienen sus propios estilos de enseñanza. Si el profesor o la profesora son analíticos, se le dificultará enseñar a estudiantes dinámicos. Pero como maestros, estamos desafiados a cubrir las necesidades de aprendizaje de cada alumno.

Ya seamos imaginativos, analíticos, de sentido común o dinámicos, es de vital importancia diseñar nuestras clases en función de las necesidades y preferencias de los alumnos, de acuerdo con los diferentes estilos de aprendizaje.

A la hora de enseñar, hay que conocer las diferencias

Debemos incorporar algún toque personalizado en nuestras enseñanzas. ¿Qué hacer después de descubrir cómo aprenden sus alumnos?

Enseñar a los alumnos según su estilo de aprendizaje permite garantizar los procesos de instrucción y enseñanza. Pero ¿cómo educar de manera distinta a cada uno? En esta ocasión analizaremos la primera parte de la lección de una clase, incorporando los dos primeros estilos y las dos primeras preguntas.

Organización de la clase: Estrategias y actividades

Los estilos de aprendizaje aluden a que cuando se quiere aprender algo, cada quien aplica su propio método y desarrolla algunas preferencias sobre otras. Además de su estilo de aprendizaje, cada alumno tiene también preferencias de aprendizaje que pueden ser:

- ▸ Auditivos: Disfrutan escuchar música, lecturas dramáticas, cantar, aplaudir.
- ▸ Visuales: Les gusta dibujar, colorear, ver palabras, dibujos, figuras, moldes y fotografías.
- ▸ Táctiles-cinéticos: Les gusta moverse y tocar con las manos.

Teniendo en cuenta estos aspectos, el maestro puede usar diferentes métodos, según su propósito. Pero debe partir siempre de los conocimientos previos de los alumnos y luego enfocarlos hacia su objetivo.

Ejemplo

El maestro pide a sus alumnos que no desayunen ese domingo en la mañana. Todos deben llegar a la clase sin desayunar. Cuando lleguen todos al salón de clases, ¿cuál será el tema? Lógicamente, ¡el hambre!

Una vez que comienza la clase, se inicia con una serie de preguntas: ¿Cómo se sienten al tener hambre? ¿Cuáles son sus pensamientos? Todos tendrán algo que decir, pero sin duda que los alumnos imaginativos serán los primeros en participar.

Primer grupo: Alumnos imaginativos

A ellos les resulta fácil hablar de sus sentimientos, y tienen la cualidad de observar el comportamiento de los demás, lo que los lleva a sentir empatía e interés por las personas.

Pero ellos también tienen puntos débiles, como tender a monopolizar las conversaciones e interrumpir la clase con muchos comentarios y «grandes discursos». No obstante, el maestro puede apoyarse en ellos para decirle al resto del grupo por qué es importante prestar atención al tema.

El maestro debe agregar nuevos acontecimientos y conceptos a la experiencia de los alumnos. Puede hacerlo a través de un vídeo, fotos, una canción y la Biblia. De esta manera, no solo estará considerando las preferencias de los alumnos, sino proporcionando información a los analíticos, que son diligentes, pensadores y observadores.

Segundo grupo: Alumnos analíticos

Los analíticos tienen la habilidad de crear modelos y conceptos, pero se debe cuidar que su capacidad analítica no los limite a lo lógico, crítico e impersonal, ya que esa tiende a ser su debilidad.

Para este momento de la clase, los alumnos no solo saben que lo que el maestro les está enseñando es importante, sino que también tienen nueva información y están listos para ser guiados a lo práctico de la lección. En la tercera parte de este trabajo se continuará estudiando el tema.

Para concluir, reconocemos que no es fácil personalizar los métodos de enseñanza. Lo que funciona para unos no funciona para otros. No obstante, se puede variar el proceso en la medida de las posibilidades, materiales y de la imaginación del maestro. Lo importante es que brindemos lo mejor a nuestros alumnos, y una forma es organizando las actividades de clase según su manera de aprender.

¿Cómo sacar ventaja de las virtudes de cada estilo? En esta ocasión, terminaremos el modelo de lección iniciado en el tema anterior, sobre el hambre. Recordemos que es importante que la lección comience con los alumnos imaginativos, se dirija hacia los analíticos, continúe con los de sentido común y finalice con los dinámicos.

En las dos primeras partes de la lección tuvimos a los alumnos imaginativos y analíticos. Hasta aquí, los estudiantes tienen una experiencia y nuevos conceptos sobre el tema; continuemos con las últimas dos partes.

Tercer grupo: alumnos de sentido común

La tercera parte de la lección les corresponde a los alumnos de sentido común. La pregunta que ellos se hacen es: «¿Cómo debo usar lo que sé?». Ellos son muy buenos creando ideas y poniéndolas en práctica para ver si funcionan; pueden sugerir soluciones; les gusta hacer cosas útiles; para ellos no es suficiente escuchar sobre el tema. Por ejemplo, se pueden interesar por marcar los lugares donde exista hambre en un mapa mundial. Con una actividad así, el maestro estará poniendo en práctica el método de aprendizaje visual. ¡Recordemos que los métodos usados correctamente apoyan la planeación y el aprendizaje!

Por otro lado, este estilo de alumnos presentan una debilidad, y es precisamente la necesidad de que todo tenga sentido «ahora», en el presente; más tarde todo pierde sentido para ellos. Además, son «kinestésicos», es decir, necesitan el movimiento para aprender y expresar lo aprendido.

Pero esto no es necesariamente negativo. De hecho, como maestros podemos aprovechar sus ideas para llevar a los alumnos del salón de clases a la vida real. Porque es importante enseñarles la verdad, pero también mostrarles cómo actuar con base en ella.

Cuarto grupo: alumnos dinámicos

El aprendizaje dinámico es lo último de la lección. Aquí son los alumnos dinámicos los que encuentran formas de aplicar lo aprendido más allá del salón de clases, porque responden a la pregunta: «¿Qué puede resultar de esto?». Ellos añaden creatividad a la lección y gustan de enseñar a otros lo que han aprendido; piensan en términos de futuro, lo que complementa el presente de los alumnos de sentido común; son flexibles, intuitivos y aprecian las expresiones artísticas.

Estas cualidades del estudiante pueden ayudar al maestro a realizar el cierre de la lección con algo que ellos aprecien. Por ejemplo: un dibujo que ilustre el tema de la lección o el pasaje bíblico, o bien una escultura, una dramatización, etc.

Los alumnos dinámicos son tan creativos que sus ocurrencias para aplicar el tema del hambre pueden variar, desde proclamar ayuno y ahorrar ese dinero para donarlo, hasta hacer una colecta de alimentos, o un drama y compartirlo con la comunidad o el vecindario. Son líderes, y en ello radican sus debilidades: el egoísmo, la indisciplina y la manipulación, por lo que el maestro necesita estar muy pendiente de sus actitudes.

Finalmente, recordemos que los estilos educativos son preferencias, influenciables, y pueden variar. No obstante, debemos esforzarnos por contribuir positivamente en la construcción de escuelas bíblicas o centros educativos preocupados por la correcta educación de alumnos, de acuerdo con su estilo de aprendizaje. Con la ayuda de nuestro Señor, por medio de tus esfuerzos y con tu compromiso cristiano se puede lograr.

Recomendaciones adicionales

Un buen programa de educación cristiana transformadora para la niñez debe tomar en consideración las siguientes recomendaciones.

1. Identificar qué editorial cristiana tiene los materiales que usted necesita, de acuerdo con las realidades y necesidades de su iglesia
   a. Grupo que habla castellano solamente
   b. Grupo bilingüe
   c. Grupo que habla inglés solamente
2. Seleccionar los mejores salones de clase
3. Dividir los grupos adecuadamente
   a. Por edad
   b. Por necesidades especiales: P. ej., niños con alguna discapacidad
   c. Por temas
   d. Por idiomas, incluyendo el lenguaje de señas

4. Preparar los mejores maestros o líderes para cada programa de niños
5. Identificar con el liderato las mejores ayudas:
   a. El liderato debe depender del Señor en todo el proceso educativo por medio de la oración
6. Manualidades de educación cristiana, relacionadas con los temas de la lección o con el tema de la iglesia
7. Juegos de acuerdo con las edades
8. Decorar el salón adecuadamente
9. Hacer de la escuela dominical una actividad divertida
10. Seleccionar buenas y sanas actividades que completen el proceso educativo
11. Incorporar la tecnología en los procesos de educación cristiana

CAPÍTULO 2

La Biblia y la educación

Antiguo Testamento

El Antiguo Testamento, desde la perspectiva judía, tiene tres divisiones: La Ley, los Profetas y los Escritos (en hebreo, *Torah*, *Neviim* y *Ketuvim*). La historia indica que, en el judaísmo antiguo, era deber de los padres la educación de los niños. En los relatos bíblicos, se pone claramente de manifiesto, que era responsabilidad de los padres educar a su familia en la fe de sus antepasados, y celebraban festividades religiosas en el hogar, que les permitían de forma regular llamar la atención y enfatizar los componentes esenciales de esa fe.

El texto conocido como *Shemá Israel* es considerado como el sustento legal y moral para el desarrollo tanto educativo como social en el antiguo Israel. Deuteronomio 6.1-8 dice:

«Éstos, pues, son los mandamientos, estatutos y decretos que Jehová vuestro Dios mandó que os enseñase, para que los pongáis por obra en la tierra a la cual pasáis vosotros para tomarla; para que temas a Jehová tu Dios, guardando todos sus estatutos y sus mandamientos que yo te mando, tú, tu hijo, y el hijo de tu hijo, todos los días de tu vida, para que tus días sean prolongados. Oye, pues, oh Israel, y cuida de ponerlos por obra, para que te vaya bien en la tierra que fluye leche y miel, y os multipliquéis, como te ha dicho Jehová el Dios de tus padres. Oye, Israel: Jehová nuestro Dios, Jehová uno es. Y amarás a Jehová tu Dios de todo tu corazón, y de toda tu alma, y con todas tus fuerzas. Y estas palabras que yo te mando hoy, estarán sobre tu corazón; y las repetirás a tus hijos, y hablarás de ellas estando en tu casa, y andando por el camino, y al acostarte, y cuando te levantes. Y las atarás como una señal en tu mano, y estarán como frontales entre tus ojos».

Según Deuteronomio 6, la respuesta de los israelitas al amor de Dios por ellos como su pueblo y a su liberación habría de ser, ante todo, un amor por él, que fuera eterno, y luego, como expresión de este amor por Dios, la enseñanza a su descendencia, hijos, hijas, nietas y nietos, de la fe que ahora les pertenecía. Para los judíos, el amor a Dios y la actividad de la enseñanza eran inseparables. Siendo una comunidad del pacto, debían transmitir las implicaciones de ese pacto a las generaciones siguientes.

En el Israel antiguo, al final del período bíblico (siglo II a. C.), la educación era un componente muy importante de la vida. Sin embargo, aunque el Antiguo Testamento es la principal fuente de información sobre el proceso educativo, este no presenta ninguna información sistemática de la educación ni sobre la filosofía pedagógica que seguían. Solo se pueden encontrar referencias dispersas por diversas partes, particularmente en los libros sapienciales, como, por ejemplo, Proverbios. No existe evidencia fuerte sobre el contexto en el que se produjo dicha educación: ¿Asumieron los padres la responsabilidad de educar a sus hijos? O, ¿confiaron a los niños (¡y tal vez a las niñas!) a educadores profesionales (p. ej., rabinos)?

Tratar de escribir un sistema educativo para cualquier cultura puede ser desafiante, puesto que las culturas cambian de manera constante y sustancial. Posiblemente, la educación israelita experimentó muchos cambios durante la larga historia del pueblo de Israel. Esto es especialmente cierto de las instituciones educativas que fueron afectadas probablemente por los cambios en la historia nacional. En general, la educación que encontramos en la época de los jueces, en los siglos XIII-XII a. C., no continuó siendo la misma que encontramos en el siglo II a. C., que se vio desafiada por la cultura helenística. Por otra parte, la educación no fue necesariamente la misma en los distintos niveles de la sociedad.

Es muy necesario e importante recordar que las culturas también absorben influencias de las comunidades vecinas. El sistema religioso israelita incluía detallados rituales, símbolos y sistemas que existieron intencionalmente para preservar la tradición y mantenerla pura e incontaminada de fuerzas exteriores. Es decir, ¡la tradición era utilizada para conservar la tradición! Y al mismo tiempo, vestigios de otras civilizaciones, sobre todo de Canaán, Egipto, Mesopotamia y Grecia, se asimilaron, probablemente, de vez en cuando, en las prácticas educativas israelitas.

Esta corta presentación sobre la pedagogía en el Antiguo Testamento, pretende afirmar que la educación en este período de la historia del pueblo de Israel se caracterizaba por la diversidad. En general, se puede afirmar que la educación en el Israel antiguo era una fuerza constante y poderosa en los hogares y la sociedad, aunque su forma y contenido cambiara según las necesidades de los diversos tiempos y lugares. Sin importar la época o el lugar, la educación proporcionaba una estructura para transmitir las enseñanzas valiosas y la tradición sagrada, por lo tanto, debe considerarse uno de los pilares fundamentales de la vida y la fe del pueblo de Israel.

Nuevo Testamento

El Nuevo Testamento constituye la segunda parte de la Biblia cristiana (escrito en lengua griega), que es un conjunto de libros escritos por discípulos de Cristo, bajo su divina inspiración. Comprende: Los cuatro Evangelios, los Hechos de los Apóstoles, las Epístolas paulinas y universales, y el Apocalipsis.

➤ Los cuatro Evangelios, según Mateo, Marcos, Lucas y Juan, son los principales documentos que contienen la revelación cristiana y nos permiten conocer la vida, la obra y los milagros de Jesús el Maestro.

➤ Los Hechos de los Apóstoles escritos por Lucas en Roma, luego de haber escrito su Evangelio. Es un documento muy importante que relata la historia de los orígenes de las iglesias hasta el año 62. Contiene también una exposición completa de los mensajes de los apóstoles.

➤ Las Epístolas paulinas o universales, son cartas dirigidas a los primeros fieles, en las cuales se comentan los Evangelios y se instruye a los cristianos.

➤ El Apocalipsis, también llamado Revelación, es obra de Juan el Evangelista, y trata principalmente de las revelaciones misteriosas relativas al fin del mundo.

Jesús el Maestro

Las sinagogas nacen en el período del cautiverio babilónico, con el propósito de educar y afirmar la fe, las doctrinas y la cultura de los judíos. Mencionando algunas de las escuelas en tiempos de Jesús, Smart dice:

«En el tiempo de Jesús había escuelas de la sinagoga, elementales y avanzadas, en las cuales los varones aprendían primero, a leer y memorizar las Escrituras, y después seguían con los problemas de interpretación. En la iglesia cristiana primitiva se puso un nuevo énfasis sobre la enseñanza, debido a la necesidad de que los convertidos fueran adecuadamente instruidos en su fe. La tradición de enseñar en el hogar continuó. Así también, en la predicación cristiana, prosiguió la tradición del ministerio de enseñanza en la sinagoga».

La educación era fundamental tanto para los judíos como para los primeros cristianos. En el Nuevo Testamento, Jesús se presenta como un rabino o maestro itinerante. Pero no era un maestro común, como bien notaron los que lo seguían, porque enseñaba con autoridad: «Quienes lo escuchaban estaban henchidos de admiración por su enseñanza, porque su palabra era llena de autoridad» (ver Mr 1).

Jamás un judío se hubiera atrevido a enseñar colocándose como sujeto de sus afirmaciones y fuente de autoridad. Los maestros, escribas, sacerdotes y doctores de la Ley, hablaban precisamente en nombre de la Ley (p. ej., decían, «como dice la Ley, o como dicen las Escrituras...»).

Su autoridad como maestro provenía del Padre, que era Dios mismo: Jesús hablaba no apoyado en la autoridad de la Ley de Moisés, sino directamente con la virtud de Dios, a quien llamaba Padre, y a quien decía haber escuchado. No era la suya una relación con Dios a través de los sacerdotes, sino una relación directa, íntima y filial. Jesús hablaba de Su Padre, Dios: «Yo soy el camino, la verdad y la vida; nadie viene al Padre sino por mí» (Jn 14.6).

Su enseñanza es diferente y su mensaje mejora lo que ya existía: «No penséis que he venido para abrogar la ley o los profetas; no he venido para abrogar, sino para cumplir» (Mt 5.17). Al tiempo que confirma la Ley, la enseñanza de Jesús invita a profundizarla, a espiritualizarla, a crecer.

¡El Señor es un maestro universal! Se dirige a todos por igual: A los judíos y a todos los seres humanos. No llega a grupos exclusivos y a personas particulares. Se presenta como un guía experto y seguro para la vida de toda la población que le escuchaba, y los invita a seguirlo: «Yo soy la luz del mundo; el que me sigue, no andará en tinieblas, sino que tendrá la luz de la vida» (Jn 8.12). Conoce muy bien la pedagogía de su tiempo y la enseña con amor y paciencia, a diferencia de los maestros de la época. Jesús no se desorientaba cuando instruía al pueblo, no le gritaba, no recurría a castigos físicos. Contestaba las preguntas sin soberbia, y respetaba la libertad y los tiempos de cada uno. ¡Jesús enseñaba con autoridad!

¿A quiénes enseñaba Jesús?

Jesús enseñaba y abría «las puertas de su escuela pública», a todos por igual. Aunque no enseñaba de la misma manera a los que se acercaban a escucharle. Había diversos niveles, dependiendo la relación que tenía con la persona que educaba, la edad, el nivel intelectual, las situaciones personales, entre otros.

La pedagogía de Jesús se presenta de forma diferente a la existente en su tiempo. En efecto, educa al pueblo, que es testigo de los milagros que llevaba a efecto. A los discípulos, que preparaba, los hace maestros y los comisiona para predicar y enseñar. Y su tarea educativa alcanzó a muchos de los que se acercaron a él. Sus grandes e importantes lecciones, tocaron de manera extraordinaria el corazón de las mujeres que lo seguían. Sus enseñanzas le abrieron nuevos caminos de vida y un futuro digno a mujeres, como María Magdalena, Juana, Susana, Marta, María, entre otras. Bendijo por medio de la educación transformadora a hombres, mujeres, jóvenes y niños con quienes el Maestro se encuentra en circunstancias muy personales. A todos los enfermos los sanó, los transformó y los educó con dignidad.

Esa metodología de Jesús es necesaria y tiene que estar presente en los programas de educación cristiana que organizamos para los niños en nuestras congregaciones. Si se enseña, pero no se trata a la niñez como personas, no es educación cristiana. El respeto y la dignidad van de la mano en los procesos de transmisión de valores y buena información. Para Jesús, todos los niños eran importantes. Inclusive, se acercó a ellos para levantarlos de la muerte, sanarlos y educarlos (Jn 4; Lc 8; Mt 19).

CAPÍTULO 3

Educación teológica

Educación y teología

De acuerdo con algunos estudiosos, la educación teológica es la parte de la educación cristiana que busca la formación teológica y espiritual de líderes eclesiásticos, para llevar a cabo de manera efectiva la misión de la iglesia. Esta declaración resume tres aspectos significativos. En primer lugar, no se puede separar la educación teológica de la educación cristiana. Están unidas y forman parte de la misión de Dios para las iglesias en el amplio mundo de la pedagogía.

En segundo lugar, incluye el interés de la educación teológica, que es lograr la formación espiritual e integral de líderes. Por tal razón, enfatiza la identificación y separación entre lo teológico y lo pastoral. No significa, sin embargo, que son conceptos opuestos, sino que tienen deferencias, y se complementan.

La teología es la disciplina que estudia la revelación divina y las intervenciones de Dios en la historia, desde las Sagradas Escrituras. Por tal razón, la formación teológica busca el acercamiento a la revelación, a diferencia de la formación pastoral, que está mucho más relacionada al carácter y las vivencias de los estudiantes y las congregaciones.

La teología está relacionada con el estudio de Dios, quién es y qué ha provisto para su creación en el pasado, en el presente y para el tiempo futuro. En ese sentido la educación cristiana se preocupa o intenta de forma respetuosa y reflexiva por descubrir el proceso divino ya ordenado en el cual el ser humano crece de acuerdo a los valores y enseñanzas de Cristo. En ese proceso educativo trabaja de forma progresiva y constante.

La palabra griega más pertinente sería *poimeneo*, que abarca la idea de consejería, enseñanza, cuidado, etc. El trabajo pastoral está directamente relacionado con el rebaño, y es necesario que la figura pastoral esté bien capacitada bíblicamente para orientar la iglesia.

Y el tercer aspecto importante en la educación teológica destaca la necesidad de llevar a cabo la misión de Dios. No es sabio, ni prudente atribuir el concepto de misión a aquello meramente práctico, pretendiendo creer que la formación de discípulos no es parte de la misión de Dios. Muy por el contrario, no debemos olvidar que el trabajo misionero de Jesús fue esencialmente educativo durante sus tres años de ministerio.

Respecto al tema de la educación teológica, los eruditos están de acuerdo y afirman que debe ser considerada como un caso particular de la educación cristiana, que está relacionada con la tarea reflexiva y crítica de la teología. Se trata de una tarea especializada, investigativa, sistemática y analítica. Es el foro para el desarrollo del pensamiento crítico y el espacio intelectual para el análisis de las diversas fuerzas que afectan la vida de las iglesias y de las comunidades que rodean y desafían a las congregaciones.

En efecto, la educación teológica es un proceso de educación y formación intelectual y espiritual de alumnos, hecho por instituciones de enseñanza teológica especializada, instruyéndolos y preparándolos para la efectiva labor teológica y pastoral.

Conocimiento de la teología

El término teología se deriva de los términos griegos *theós* y *logos*, que se traducen como tratado en torno a Dios o ciencia de Dios. Esta definición básica, nos acerca a la comprensión real del término, es decir, a aquella que define por la esencia de la cosa nombrada: Teología es, esencialmente, el conocimiento o ciencia de Dios y de su revelación a la humanidad, que, iluminada por la fe, reflexiona sobre los misterios que cree y sobre las consecuencias de esos extraordinarios misterios divinos.

La teología tiene como finalidad fundamental permitirnos conocer y amar cada vez más al Dios que se revela y que se da a conocer, en la tradición oral o apostólica, y también en la tradición escrita o la Biblia, orientada o regida por las iglesias.

Como toda ciencia, la teología tiene su objeto, sus documentos a estudiar, y su método de estudio, que brevemente desarrollaremos.

El objeto primario es Dios, su naturaleza, sus atributos, sus perfecciones y sus operaciones, y el secundario se relaciona con las cosas creadas en cuanto se hallan en relación con Dios.

Al analizar los objetos básicos y formales de la teología, es necesario distinguir entre la natural y la sobrenatural. La teología natural, de acuerdo con el análisis de Platón, constituye el punto culminante de la filosofía, y puede definirse como la exposición científica de las verdades acerca de Dios, en cuanto estas son conocibles por la luz natural de la razón, del intelecto, del análisis ponderado y sobrio. Sin embargo, la teología sobrenatural, es la exposición científica de las verdades acerca de Dios, en cuanto estas son conocibles solo por la razón iluminada por la fe a través de la revelación divina.

Aunque ya hemos mencionado la importancia de la Iglesia en relación con la educación, no podemos ignorar o subestimar el papel esencial que les compete a las iglesias, el que han heredado de nuestro Señor Jesucristo.

En el ámbito teológico solo se le puede atribuir el título de Maestro a Jesucristo, porque solo el Señor enseña con verdad, pues él es la verdad. En un sentido similar, las iglesias son maestras, ya que tienen el deber y la misión de enseñar la verdad dejada por Jesucristo. Y dentro de la iglesia, esta importante responsabilidad está delegada al liderato educativo, y los pastores dirigen a ese liderato.

Jesucristo estableció un liderato vivo, consagrado, sensible, apasionado, comprometido y más. Y ordenó que fuera recibido como sus propias palabras: «El que a vosotros oye, a mí me oye; y el que a vosotros desecha, a mí me desecha» (Lc 10.16).

Cuando hablamos del «liderato educativo» podemos entender estas palabras en dos sentidos básicos:

1. En el poder conferido por Jesucristo a su iglesia.
2. En el conjunto de enseñanzas y principios que las iglesias han dado a través de los siglos, sobre la fe, los valores cristianos, la dignidad, el amor, la justicia, la paz, etc.

Fundamentos teológicos

▶ La teología está relacionada con el estudio de Dios, quién es y qué ha provisto para su creación para el momento presente como por siempre.

▶ La educación cristiana es un intento reverente para descubrir el proceso divino y ordenado, por el cual nos acercamos a Dios para crecer y desarrollar nuestra fe en semejanza a Cristo. Es un proceso en el cual trabajamos continuamente y en diferentes formas.

▶ Dios utiliza diferentes estrategias para llegar a la humanidad. El propósito fundamental es redimirla y salvarla. Llega y cumple su objetivo con los seres humanos por medio de la enseñanza bíblica y la intervención del Espíritu.

▶ La misión de la iglesia y el liderato educativo es alcanzar a la población para que conozcan y acepten al Señor, cambien su manera de vivir y sean transformados por el poder del Espíritu, por medio de la educación cristiana relevante y transformadora.

Una iglesia que comparte vida transforma por medio de la educación

La teología de Jesús, sobre el mensaje de transformación y vida, está fundamentada en la obediencia y la fidelidad a Dios. Somos transformados para agradar a Dios. Ese acto de fidelidad al Creador nos lleva a servir a los demás. El prójimo que está necesitado, y se encuentra muy cerca de nosotros, representa la luz de Dios que nos ilumina el camino para servir y ayudar al que necesita nuestras manos, con demostraciones sinceras de amor y entrega.

Una iglesia que comparte vida, enseña y educa al pueblo a amar a Dios, por medio de sus actos de obediencia, fidelidad y servicio, que constituyen un excelente modelo que el pueblo de Dios le brinda a la comunidad. Representa el mejor ejemplo de compasión, misericordia y justicia, que atiende con buenas intenciones y dignidad las necesidades de las personas. Es ciertamente, una congregación de creyentes, donde mora el amor de Dios, una iglesia que sabe acercarse al Dios eterno, y una población con un buen fundamento de educación teológica.

De acuerdo con las Escrituras: «Pero el que tiene bienes de este mundo y ve a su hermano tener necesidad, y cierra contra él su corazón, ¿cómo mora el amor de Dios en él?» (1 Jn 3.17).

Desafíos de la educación teológica

Algunos académicos piensan que el gran desafío teológico que encontramos en los programas congregacionales, y en la forma de educar en los últimos tiempos, es que no se está respondiendo adecuadamente a la nueva realidad económica, social, ética y cultural de nuestra sociedad. Por eso, ellos afirman que tanto la educación cristiana informal, como los estudios teológicos y académicos, están pasando por momentos de crisis. «Crisis» entendida, no solamente en el sentido de problema y dificultad, sino en el sentido más amplio de un momento de dificultad y desajuste entre la educación ofrecida y lo que los estudiantes procuran y necesitan. Aunque muchos estudiosos también están de acuerdo en que «es un desajuste que tiene posibilidades de superación».

Desafíos significativos para este siglo

La educación teológica en este siglo representa para algunos teólogos un desafío mayor, debido a la percepción o interpretación que muchos líderes han desarrollado en torno a este tema. La preocupación fundamental está basada en «lo que las iglesias desean que sea la educación teológica», o en otros casos «lo que realmente anhelan es que la educación teológica reproduzca los patrones institucionales eclesiásticos clásicos y tradicionales», que han fomentado en los últimos años.

Esta percepción ve la formación teológica centrada en la preparación profesional de pastores y pastoras, pero que muchas veces no se preocupa mucho por el perfil del ministerio amplio y pertinente, en confrontación con su contexto social, político y cultural. Inclusive, que ni siquiera muchas veces se plantea al laico como sujeto del proceso de formación teológica.

Pero la teología no se hace ni se comunica en un vacío cultural y social. La Biblia misma fue escrita en un contexto geográfico y en una situación cultural determinada. Por tanto, no se puede reflexionar teológicamente cuando falta el compromiso concreto con la realidad social, porque el quehacer teológico debe nacer desde la misma necesidad de vivir por la afirmación del reino de Dios y su justicia (Mt 6.33).

La reflexión teológica en la educación cristiana es tarea de todo el pueblo de Dios. Ese modelo bíblico, pedagógico, dinámico, familiar, comunitario e integral lo muestra muy bien el libro de Deuteronomio: «Grábate en el corazón estas palabras que hoy te mando. Incúlcaselas continuamente a tus hijos. Háblales de ellas cuando estés en tu casa y cuando vayas por el camino, cuando te acuestes y cuando te levantes. Átalas a tus manos como un signo; llévalas en tu frente como una marca; escríbelas en los postes de tu casa y en los portones de tus ciudades» (Dt 6.6-9, NVI).

Jesús nos presenta un modelo pedagógico que algunas personas no toman en consideración, pero que el líder o maestro no puede ignorar. Un buen ejemplo para tomar en consideración es el propio modelo pedagógico de Jesús, en su encuentro con los caminantes de Emaús (Lc 24). En esos momentos de encuentro, y recordando los sentimientos de miedo y frustración de aquellos hombres que huyeron de Jerusalén con mucho temor, Jesús les explicó las Escrituras, «desde Moisés hasta los profetas». En esa conversación intensa se produce el milagro que logró que los ojos de los caminantes se abrieran y sus corazones ardieran, al punto de transformar el miedo en coraje. Esa transformación permitió que ellos lograran volver sobre sus pasos para retornar a la Jerusalén del dolor y la tristeza, de las cruces y de la muerte. Jerusalén se transforma en la Jerusalén de la promesa, de la vida y de la esperanza.

Esta interpretación es muy importante, pues indica que la formación teológica no debe estar dirigida únicamente a crear vocación pastoral, a formar pastores, ni a ejercer una vocación misionera. Debe también contribuir en un programa de educación cristiana transformador, relevante e integrador de todo el pueblo de Dios para la transformación de nuestra sociedad, y poder lograr alcanzar un mundo mejor y más justo para todas las personas.

Otro desafío que debemos considerar con respecto a la educación teológica y la educación cristiana es la práctica del creyente a la luz de la Palabra de Dios. De acuerdo con algunos estudiosos de la pedagogía, «enseñar no es transferir conocimiento, sino crear las posibilidades para su producción o su construcción. Quien enseña aprende al enseñar, y quien enseña aprende a aprender». Y según Nelson Mandela, «la educación es el arma más poderosa que se puede usar para cambiar el mundo».

De esta manera el proceso educativo es un proceso de diálogo democrático y participativo, o sea, un encuentro entre personas como sujetos responsables, orientados hacia la libertad y en compromiso con el hacer justicia, participar en la creación de un mundo mejor, y en trabajar y luchar por la paz, que se relaciona con la implantación de la justicia.

Y este compromiso serio con la transformación del mundo, para logar la justicia y la paz, constituye un gran desafío para nuestras prácticas educativas, particularmente en este momento de violencia generalizada, donde la paz no es tan solo amenazada, sino donde, sobre todo, es continuamente negada por las fuerzas y las dinámicas que generan y producen muerte.

Entonces, el problema real no es enseñar y aprender teología, sino hacer una teología donde el método y el contenido sean un camino relevante para la práctica misionera comprometida de todo el pueblo de Dios. Es diseñar una estrategia pedagógica en que el «saber» y el «hacer» se conciban como dos dimensiones inseparables que se influencian mutuamente. Pero además, una estrategia pedagógica donde la experiencia práctica del estudiante sea el punto de partida del proceso de formación teológica.

De esta manera, en un mundo donde la globalización perpetúa el empobrecimiento de las mayorías, matizado por guerras, violencia, divisiones culturales; donde se agrede nuestro hogar natural; y donde inclusive la lucha contra el terrorismo tiene en el fondo matices religiosos, la mundialización desafía a todas las religiones a luchar juntas por alcanzar una ética mundial.

La educación teológica y cristiana debe fomentar en sus enseñanzas dirigir a los alumnos a que aprendan la importancia de afirmar la necesidad de vivir en paz, en justicia y en fraternidad humana, contribuyendo de esta manera a dar una respuesta común para la solución de los grandes problemas que enfrenta la humanidad. Solo así lograremos alcanzar un programa educativo transformador que se torne relevante y pertinente con profundas implicaciones, no solo para el quehacer teológico sino también para la educación cristiana y la formación teológica.

CAPÍTULO 4

Niños con necesidades especiales

La niñez especial

¿No son todos los niños realmente especiales? Así piensan, y con mucha razón, un gran número de personas. Sin embargo, cuando hablamos de una «niñez con necesidades especiales», ¿a qué nos referimos? Hablamos de todo niño o niña que pueda necesitar ayuda adicional en la vida, debido a algún problema médico, emocional o de aprendizaje. Estos niños tienen necesidades especiales, según los expertos en el tema, pues pueden requerir medicinas, terapias o algunas ayudas físicas en el hogar, la escuela, el parque o la iglesia, que otros niños no suelen necesitar o que solo necesitan esporádicamente.

Hay niños en las escuelas que necesitan sillas de ruedas o aparatos ortopédicos para moverse. Esos niños tienen necesidades especiales. No solo requieren de un equipo físico que les ayude en el desplazamiento y la movilización, también van a necesitar de otros medios que les faciliten el lograr una vida «menos desafiante» en la sociedad. Es posible que también necesiten un autobús especial para ir a la escuela, uno de esos que los eleve y los ubique en el lugar preciso, de forma que no tengan que subir los escalones. También las rampas y los ascensores son muy necesarios para esta niñez que crece y se desarrolla en medio de nuestro pueblo, sociedad e iglesias.

Tampoco podemos olvidar a la niñez que padece enfermedades singulares, como epilepsia, diabetes o parálisis cerebral, pues ellos también tienen necesidades especiales. La gran mayoría de estas criaturas necesitan medicinas u otro tipo de ayuda para realizar sus actividades diarias. Los niños con impedimentos visuales podrían necesitar libros preparados en el sistema Braille. La niñez con problemas de audición o de habla, también tienen necesidades especiales. Es posible que un niño que tiene problemas auditivos necesite audífonos para oír, pues es muy difícil pronunciar las palabras correctamente cuando no pueden oír bien.

Hay otro sector de niños que no podemos ignorar. Aquellos que enfrentan problemas de aprendizaje también suelen tener necesidades especiales. La niñez con síndrome de Down puede ir a una escuela regular, y podrían incluso estar en la clase, pero tienen necesidades especiales a la hora de aprender, por lo que posiblemente necesiten alguna persona asistente que les apoye en el proceso educativo.

Generalmente podemos identificar algunos niños con necesidades especiales, pero posiblemente no a todos. Hay niños que podrían tener problemas que no resultan evidentes a simple vista, a menos que se conozca bien a la criatura con la que se puede tener alguna relación fraternal o familiar.

Los casos pueden ser diferentes, y algunos muy difíciles de identificar, como son los problemas de ansiedad (o exceso de preocupación). En ocasiones no los podrás notar a menos que el niño o la niña te lo diga. Es posible que muchos de ellos estén bajo tratamiento, o sus padres, maestros y orientadores ya trabajan con él de forma individual para ayudarle con su condición.

La vida para un niño con necesidades especiales

La vida para la niñez con «necesidades especiales» puede ser más desafiante que para el resto de la población infantil. Puede ser más difícil aprender y hacer las cosas que hacen el resto de los niños, que no tienen sus condiciones o no enfrentan las situaciones particulares que ellos viven día a día. Para muchos, el aprender a leer, escribir, utilizar tijeras o lápices es un gran desafío. Muchas de estas criaturas reaccionan con frustración cuando no pueden realizar las tareas que el resto del grupo hace. Se entristecen cuando por alguna discapacidad física, no se pueden mover por la escuela, en la iglesia, en un parque o por un centro comercial, sencillamente porque estos lugares no están preparados para responder a sus necesidades.

La buena noticia es que, si todos como pueblo nos unimos, lograremos formar una sociedad donde todos tenemos espacio. Con la buena voluntad de los padres, los médicos, las enfermeras, los terapeutas, los maestros, las escuelas, las iglesias, lograremos brindar la ayuda que esta población necesita. Todos debemos trabajar para lograr la mayor independencia que estos niños necesitan y pueden alcanzar.

Un elemento importante en este proceso de lograr una sociedad donde todos tenemos espacio, es que los adultos se incorporen de forma natural a las dinámicas que rodean a estas tiernas criaturas con desafíos físicos y emocionales. Todos pueden ser de gran ayuda. ¿Cómo lograrlo? Sencillamente fomentando la importancia de la amistad. ¡Todos necesitamos tener amigos y amigas! Los niños que utilizan sillas de ruedas o que tienen muchos problemas de salud, también necesitan buenos amigos como el resto de la comunidad.

Sin embargo, a muchos de ellos les puede resultar muy difícil conocer gente y hacer amigos. En una sociedad donde el acoso (o *bullying*) está en su mayor escala, este sector de la población se presenta más frágil y vulnerable que los otros niños. La niñez con necesidades especiales, en algunos casos lamentables y complejos, sufre burlas, y en ocasiones se les hace comentarios inadecuados que todos debemos identificar, condenar y evitar. Esta situación no se debe permitir, bajo ningún concepto. Casos como estos deben ser notificados a los lugares o personas pertinentes, para que no se repitan. Estas situaciones lo que pueden provocar es soledad, marginación, rechazo, dolor, angustia. Los niños y las niñas abusadas pueden ser marcadas de manera adversa para toda la vida.

Como parte de un pueblo creyente, cuyos valores cristianos deben siempre florecer en todos los tiempos, en todas las situaciones y con todos los seres humanos, nuestra posición es la de siempre levantar al caído y ayudar al necesitado. Nuestro llamado es el de brindar toda la ayuda que esté a nuestro alcance a la niñez con necesidades especiales. ¡Hay mucho que podemos hacer con esta extraordinaria población infantil!

Los adultos, los jóvenes y la niñez pueden incorporarse en tantas obras de bien con esta población que cada día aumenta. La lista de lo que se puede hacer es larga: Se les puede llevar los libros o hacer algo tan sencillo como invitarles a almorzar contigo y tus amigos. En ocasiones es necesario darles la mano cuando caminan por lugares difíciles para ellos, estudiar juntos en grupos pequeños, visitarlos en sus hogares dependiendo cómo sea el caso o condición, etc. Por otro lado, es importante que no «ayudemos demasiado» cuando no hace falta la ayuda. Sencillamente porque, al igual que a todos, también los niños con necesidades especiales luchan y desean aprender a ser tan independientes.

Una de las mejores formas de ayudar a los niños con necesidades especiales es siendo amable, cordial, respetuosos. A medida que se interactúa con ese sector de la comunidad, se puede entender mejor cómo es estar en su situación y los desafíos que deben enfrentar continuamente. Y se ayuda a responder una necesidad muy especial, una que todos tenemos: la necesidad de tener buenos amigos y amigas, y la de lograr ser lo más independiente posible.

Culmino esta sección recordando Marcos 2.1-12, donde cuatro personas sostienen a un amigo que es paralítico y se lo llevan a Jesús. Todo parecía muy difícil para los amigos del paralítico. Se las ingeniaron contra viento y marea hasta lograr llevar a su amigo con necesidades especiales a Jesús. El texto bíblico dice que, «al ver Jesús la fe de ellos», sanó al necesitado, y además, le perdonó sus pecados.

¡Qué hermosa lección de amor, hermandad y solidaridad la de los amigos del hombre con necesidades especiales! Ellos, además de ser amigos y de ayudar al hombre con tantos desafíos físicos y emocionales, deseaban que su amigo no sufriera más y lograra ser liberado de la parálisis que padecía. Anhelaban que su amigo lograra nuevas posibilidades de vida, para poder valerse por sí mismo. Se unieron como parte de la comunidad en un proyecto que posiblemente había tenido algunos logros, pero no los que ellos deseaban. Ellos querían mayores progresos en la vida de una persona buena y querida, que era parte de su comunidad.

El deseo de bienestar de los amigos hacia el paralítico, la amistad que los unía, el amor incondicional que los movía, y la fe en el que podía mejorar la situación del necesitado, lograron el ambiente deseado y la nueva vida de una persona con necesidades especiales. ¿Qué somos capaces de hacer para acercar a Dios, a aquellos que viven postrados, en silencio, en oscuridad, en ansiedad, en limitaciones, en desesperanza?

Bienvenidos todos a la casa de Dios

Era domingo en la mañana y mi primer día como esposa de pastor en la Iglesia Cristiana (Discípulos de Cristo) de Hato Nuevo en

Guaynabo, Puerto Rico. El entusiasmo por conocer la congregación llenó de inmensa felicidad e indescriptible alegría mi vida. Al llegar al templo me encontré con una niña simpática, hermosamente vestida y con «luz en sus ojos». Enseguida me dijo «hola», y me dio la mano. La saludé con ternura, y antes de preguntarle su nombre, me dijo que se llamaba Nelly. Era una bella niña con síndrome de Down.

Inmediatamente recordé mis estudios en enfermería que me ayudaron a entender y acercarme con respeto y dignidad a Nelly. Con ella aprendí en mi juventud que todos nos merecemos el derecho de ser amados y valorados. Su silencio frente a situaciones dolorosas, me hizo ser más fuerte. Su buena memoria al poder recordar con inmensa alegría a mi hijo y a su familia pastoral, luego de muchos años de ausencia, me llevó a afirmar que sí era una niña especial, y ciertamente muy valiosa.

¡Qué mucho bien le hizo Nelly a la iglesia a la que sirvió hasta su muerte! ¡Y cuánto contribuyó la congregación a su crecimiento personal y espiritual! En efecto, fueron muchas las lecciones que aprendí en las diferentes experiencias pastorales y educativas, que me han llevado a estudiar el tema de la educación cristiana transformadora para niños y niñas con necesidades especiales.

Mientras leía el libro *El autismo y tu iglesia*, de Barbara J. Newman, volví a recordar a Nelly, pues me pasó lo mismo que menciona la autora en el prefacio de ese importante trabajo: «De pronto me encontré frente a un mensaje escrito en forma muy elegante, frente a una iglesia que me llamó la atención. Mientras pasaba frente a este templo evangélico, leí un rótulo que decía: "Bienvenidos todos a la casa de Dios". No pude evitar mi reacción frente a aquella frase que martilló fuertemente mi cabeza. ¿Será cierto que son todos los seres humanos bienvenidos? ¿Asistirá todo tipo de persona a esa congregación? ¿Qué programas tendrán para las damas y los caballeros que lleguen a sus puertas con necesidades particulares? ¿Estarán las instalaciones físicas preparadas para recibir a los niños en sillas de ruedas, o para los que caminan con dificultad?».

No pude dejar de pensar y preguntarme cuán bienvenidos son en ese templo imponente las personas con necesidades especiales. Particularmente la niñez con síndrome de Down, o los que padecen de autismo, los sordos, los mudos, los ciegos, los hiperactivos, los que aprenden con lentitud, los que son de otras razas, los pobres, los marginados, los que tienen estilos de vidas no tradicionales, los deambulantes.

La verdad es que tuve la impresión de no ser bienvenida en ese lugar, y mucho menos las niñas como Nelly, o los niños como Roberto, que padecen de autismo, o como Juan Carlos que es sordomudo. Sentí que la función de aquel rótulo era solo embellecer el lugar y hacer cumplir algún acuerdo de la iglesia.

Es curioso que mientras terminaba de escribir los tres párrafos anteriores a este, tomé un descanso para ver la televisión. Enseguida que se iluminó la pantalla, me di cuenta de que estaban transmitiendo la noticia que habían anunciado durante varias semanas: la boda real de Meghan Markle con el príncipe Enrique de Inglaterra. Un enlace que supondrá un giro importante dentro de la tradicional y singular monarquía británica. Precisamente se casaba el príncipe con una joven interracial, de descendencia pobre, divorciada, y que la «sangre azul» no pasaba por sus venas… La joven Meghan poseía muchas cualidades, y un poco más, de acuerdo con las perspectivas reales, que supuestamente la hacían «no digna» para casarse en la capilla de San Jorge, en el castillo de Windsor en Inglaterra, ¡y mucho menos con un miembro de la familia real!

Esa capilla de Windsor tradicionalmente ha sido un lugar donde el propósito primordial es «honrar a Dios», pero no todos necesariamente eran bienvenidos a entrar. Hoy el mundo ha sido testigo y celebra que en esta capilla se abre una puerta que le grita al pueblo «Bienvenidos todos a la casa de Dios». Si ellos pudieron abrirse a los cambios y lograron entender que era necesario crecer y aprender para responder a las necesidades especiales, definitivamente nuestra niñez especial tiene esperanza.

Este libro, reitero, intenta motivar a los líderes y las congregaciones de creyentes a conocer la importancia de la educación cristiana integrada y transformadora para niños con necesidades particulares. Desea tocar el corazón del liderato que se levanta para que conozcan y se preparen a responder a esta población infantil que por tantos años ha sido ignorada.

Posiblemente, es necesario tomar en consideración el adiestrar a nuestro cuerpo eclesiástico con buenos programas educativos para comenzar a implantar nuevos esfuerzos de apoyo a esta población vulnerable y necesitada. La niñez con síndrome de Down, autismo, en sillas de ruedas y otras condiciones físicas y emocionales necesita sentirse amada, atendida y acompañada.

Son muchas las instituciones donde los niños con condiciones especiales son recibidos con dignidad y amorosa atención. Desarrollan una serie de servicios educativos para satisfacer y trabajar con las áreas de esas criaturas que deben ser fortalecidas. Y, mientras esto ocurre en la sociedad, en las iglesias donde estas familias con niños y niñas con impedimentos asisten, se producen ambientes adversos de tensión, dolor, rechazo y marginación.

Sin embargo, esa no es ciertamente la intención de las congregaciones y sus líderes. ¡Todo lo contrario! Desean colaborar y ayudar de forma intencional a las familias. Están dispuestos a hacer los cambios necesarios para que todos participen del culto y de los programas educativos, y que su liderato esté preparado para atender a la niñez en todas las dimensiones que respondan a sus necesidades. Son muchas las iglesias que desean comenzar a servir y reaccionar positivamente a esta población, pero no saben cómo hacerlo. «Bienvenidos todos a la casa de Dios», es la invitación del Señor a su pueblo, no es nuestra invitación. Nos toca a nosotros, los líderes y educadores, lograr que ese llamado cumpla con todos los niveles de aceptación hacia las personas que llegan con la necesidad de crecer, aprender y sentirse amadas. Ser niños con necesidades especiales no los hace incapaces de ser educados, de reír, de amar, de desarrollarse, de alcanzar grandes logros.

Ángeles que brillan

Los niños con condiciones o necesidades especiales están con nosotros como estrellas luminosas. Son figuradamente «ángeles que brillan», enviados por el Señor, que llegaron y nos acompañan para perfeccionar nuestros ministerios. Con ellos presentes en nuestros hogares, y en diferentes áreas de trabajo, lograremos llegar a la altura de los valores cristianos que deben dirigir la vida de todo educador y creyente. Si los tenemos en nuestros ambientes de estudio bíblico, adoración y servicio, y no los incorporamos en nuestros programas, nuestra misión estará carente de sensibilidad, compasión, amor. ¡Sería una educación cristiana incompleta, parcial, tullida, impropia, impertinente!

No podemos negar que incorporar en los programas de educación cristiana a la niñez con necesidades especiales y particulares, no es una tarea fácil, ni mucho menos superficial o improvisada. No son responsabilidades y ministerios sencillos, debido a diversas razones, entre las cuales podemos identificar las siguientes: Falta de conocimiento o preparación de los líderes y el personal encargado, carencia de lugares adecuados para implantar estos programas, poco interés en atender a esta población, pues esos niños no son parte del presupuesto de la iglesia, o no se le da participación a ningún miembro de la familia en el proceso de enseñanza.

Aunque ya hay comunidades de fe en Estados Unidos y América Latina que tienen incorporados programas de educación cristiana especializados, con personal adiestrado y buenos materiales educativos para este sector de la niñez, muchas iglesias no están respondiendo a este clamor. Todavía hay congregaciones, con una población considerable de estos «ángeles que brillan», que están esperando por materiales y programas que les ayuden a entender cómo incorporarse en estos importantes procesos pedagógicos particulares.

El departamento o el comité de educación cristiana de las iglesias que sirven a la niñez, debe tomar muy seriamente en cuenta la importancia de responder efectiva y positivamente a este sector de la población eclesiástica a la hora de preparar sus programas. Por supuesto que para tomar en cuenta a estos niños de forma eficiente, se requiere conocimiento, compromiso, preparación, adiestramiento y buenos materiales educativos. Además, el personal que va a servir a estos «ángeles que brillan» directamente, debe conocer las condiciones, los desafíos y las enfermedades que padecen estas criaturas. Necesita saber cómo tratar con ellas y es importante que se relacione con los instrumentos y las ayudas disponibles para una experiencia educativa adecuada, pertinente y efectiva.

Lo primero que deben conocer y afirmar, es que todas las personas son capaces de entender, conocer y aprender acerca del inmenso amor de Dios. Compartir esa verdad y ese conocimiento debe ser para los educadores un deleite, una experiencia de gozo y una dinámica de satisfacción. Tanto el conocer como el compartir la palabra de Dios son experiencias que nos transforman, nos hacen fuertes y mejores personas.

Fundamentados en esa fuerza, en esta experiencia educativa diferente y apasionada, vamos a descubrir cómo el poder del amor es capaz de llevarnos por senderos noveles y gratos. El amor de Dios en el corazón de los maestros y los estudiantes es esencial para lograr ver y vivir lo que es capaz de hacer el Señor con los seres humanos. Además, este acercamiento hacia las personas con necesidades especiales está organizado para detenernos a mirar todo lo que pueden aprender, siempre y cuando logremos identificar cuáles son los ritmos y estilos de aprendizaje de cada criatura.

El tema del amor es determinante en los ministerios educativos con los «ángeles que brillan». Desde el comienzo mismo de sus vidas, el amor debe ser la característica fundamental de las dinámicas que les rodean en el hospital, el hogar, la escuela y la comunidad. Solo en ambientes saturados de amor es que ese sector poblacional tiene la capacidad de crecer y desarrollar todo el potencial que tiene.

Las estadísticas indican que el porcentaje de niños con autismo, síndrome de Down, sordos, mudos, ciegos, con problemas cerebrales, hiperactivos e impedimentos físicos, sigue creciendo. Frente a esa realidad, los maestros y el personal que trabaja con la niñez con necesidades especiales debe conocer tres puntos importantes a la hora de la enseñanza:

1. Ritmos de aprendizaje que posee cada niño

Se refiere al tiempo que cada alumno requiere para procesar la información que recibe, a la velocidad con que manipula y organiza el material de aprendizaje, al tiempo que tarda en reconstruir los conceptos, a la velocidad con que realiza las prácticas en la clase, y las formas de hacer las tareas asignadas en su casa.

2. Estilos de aprendizaje

Es el modo característico de cómo el estudiante está en sus mejores condiciones para aprender y relacionarse con los materiales educativos.

Además, se refiere al estilo del maestro para conducir el aprendizaje, al ambiente estructurado y flexible en el salón y en las dinámicas pedagógicas, y a las preferencias a estudiar en grupos grandes, pequeños o de forma individual.

3. Ambiente y técnicas de enseñanza

El ambiente y las técnicas de enseñanza han cambiado con el tiempo. Es una realidad que no podemos ignorar. A esa verdad hay que añadirle que el número de niños con necesidades especiales y con condiciones diferentes, ha aumentado en las congregaciones. El personal que trabaja en los departamentos de educación cristiana debe estudiar cuáles son esas nuevas técnicas en el aprendizaje para poder incorporarlas en sus programas. Ignorar esa realidad y no actualizar sus metodologías de estudio y trabajo, no es de sabios.

CAPÍTULO 5

Educación cristiana para una niñez con necesidades especiales

Ventajas de enseñar educación cristiana a estudiantes con necesidades especiales en una clase inclusiva

Una de las ventajas o logros de una clase bíblica inclusiva es que permite a los niños con necesidades especiales aprender con compañeros de desarrollo típico de su propia edad en la misma clase. Además, los niños que se desarrollan en ambientes de aprendizaje inclusivo alcanzan con rapidez implantar entre ellos los valores cristianos que Jesús pregonó en sus enseñanzas: respeto, aceptación, unidad, amor, compañerismo. La mayoría de las veces que participan en grupo no toman en cuenta las diferencias que los distinguen, en comparación con los que no participan.

En muchos casos se puede indicar que son más sensibles y humanos en relacionarse con las demás personas. Este modelo se está volviendo más común a medida que las iglesias que están tomando en consideración a esta población intentan llevar sus clases afirmando la diversidad. Aunque una clase inclusiva requiere muchas adaptaciones para acomodar las necesidades de sus niños, así como la de identificar el personal cualificado, con la base y el soporte correctos, no hay dudas que los niños de todas las habilidades pueden aprender juntos.

Las siguientes recomendaciones pueden ayudar a la hora de comenzar a implantar este nuevo programa

1. Todos son necesarios

Identifica las habilidades y desafíos de cada estudiante con necesidades especiales, incluyendo a todos los individuos familiarizados con el estudiante en la evaluación. Puede incluir al terapeuta, su antiguo profesor y los padres. Con una imagen completa del niño, puedes implementar un acercamiento de enseñanza que sea apropiado para sus necesidades y estilos de aprendizaje.

2. Prepárate bien

Diseña y desarrolla un Plan Educativo Individual (PEI) para el estudiante con necesidades especiales. Como profesor, tienes la habilidad de compartir los puntos fuertes y débiles del niño, no solo en el contexto escolar, sino con otro terapeuta. Un PEI detalla las necesidades del niño, determina sus metas, identifica los recursos que asistirán en la implementación de esas metas, y especifica las adaptaciones para que el niño con necesidades especiales pueda desarrollarse bien en la clase.

3. Utiliza otros recursos para alcanzar la meta

Construye un buen equipo de educadores en la clase. Enseñar a niños con necesidades especiales en una clase inclusiva, es más efectivo cuando tienes a un profesor de educación general, uno de educación especial y un asistente en la clase todo el tiempo. Todos trabajando juntos para conseguir una meta común.

4. Desarrolla una buena relación familiar

Establece una relación con la familia. Los padres conocen mejor a sus hijos y pueden proporcionar información valiosa sobre ellos, así como son el mejor soporte educativo fuera de la clase. Crea un libro de notas para cada niño con necesidades especiales, como forma de comunicación para profesores y padres, para compartir pensamientos e ideas.

5. Identifica el equipo y las formas de comunicación efectivas

Implementa un entorno que se adapte a las necesidades educativas. Enseñar a niños con necesidades especiales en una clase inclusiva requiere el equipo necesario, así como formas de comunicación adaptadas para que todo el grupo pueda participar en las actividades de clase. Un entorno educativo apropiado puede incluir sillas especiales, equipo sensorial, cajas de voz, visuales especiales para enseñar y comunicar, y tijeras especializadas, por nombrar solo algunos ejemplos.

6. Incorpora a toda la clase en la comunidad de fe

Crea un sentido de comunidad. Asignar trabajos a cada estudiante y dejar que cada uno tenga voz durante el tiempo de la clase en forma de círculo, son formas de hacer que los niños con necesidades especiales sientan que son parte de la comunidad. Esta dinámica colabora para aumentar la autoestima en todo el grupo, ya que pueden participar en las mismas actividades de sus compañeros de clase (con desarrollo físico diferente).

7. Permite, si es necesario, las terapias en el salón de clase

Si surge la necesidad de que un niño necesite de alguna terapia durante el periodo de la clase, permítele a la persona encargada que tenga las terapias en un lugar en la clase. Esta experiencia bien dirigida se puede convertir en un proceso educativo donde todos aprenden la importancia del compañerismo, el respeto, la aceptación y la colaboración. Para los niños con necesidades especiales que requieren terapia, tener algunas de sus sesiones en clase refuerza el concepto de inclusión, dado que no se les tiene que sacar de clase. También es una forma excelente de que los terapeutas y los profesores coordinen esfuerzos para enseñar al niño, permitiendo que se siga de la terapia a la clase.

8. Afirma la enseñanza en grupos más pequeños

Hay casos que requieren que el proceso educativo sea en grupos pequeños. La creación de estos grupos con diferentes actividades y lecciones particulares permite a la niñez con necesidades especiales interactuar con sus compañeros, así como conseguir la atención necesaria para completar una enseñanza divertida y efectiva.

Una misión de amor a la altura de los valores cristianos

El lema principal de la iglesia del Señor que sirve a su pueblo afirmando los valores cristianos, debe ser: Aquí no marginamos a nadie, pues todos son bienvenidos. Nuestra misión como educadores cristianos debe incluir el trabajar arduamente para incorporar el acceso a los programas de la iglesia a quienes tienen condiciones físicas que los limitan en el quehacer diario y otras necesidades especiales. En este tiempo que nos ha tocado vivir, disfrutamos de un mejor entendimiento de los «ángeles que brillan» que en el pasado, pues antes solían ser «personas invisibles» entre nosotros. Por muchos años y muy pocas veces, o tal vez ninguna, encontramos iglesias o denominaciones que tuvieran programas especialmente preparados para niños o niñas con limitaciones en el aprendizaje, trastornos del espectro autista, hiperactividad, falta de atención, síndrome de Down, sordos, mudos, ciegos.

Hoy podemos decir que hay mayor conciencia en muchos de los líderes de nuestras congregaciones en relación con este tema de educación cristiana para la niñez con necesidades especiales, pero todavía nos queda mucho camino por recorrer. Para lograr hacer realidad un buen programa de educación para esta población que está entre nosotros hay que lograr que los pastores, junto a los laicos de nuestras congregaciones, se preparen bien. Deben conocer las condiciones que padecen los «ángeles que brillan», que son parte de la iglesia. Especialmente, es importante que se relacionen con estos temas en cursos que los adiestren para responder adecuadamente a lo que deseamos enseñar. De manera particular, los que serán los maestros voluntarios de estos proyectos especializados, son prioridad.

La niñez con necesidades especiales incluye un amplio espectro de diagnósticos y necesidades. De igual forma, así de amplia debe ser la respuesta a esas necesidades. Dos personas no pueden ser iguales. Algunas son hábiles para incorporarse y pueden participar en programas diseñados para niños comunes. Otros, quizá necesiten una variedad de asistencia y cuidados. Algunos, debido a retos sensoriales u otros problemas, no pueden asistir a programas y servicios regulares. Es para estas personas con limitaciones físicas, que los programas especiales pueden ser desarrollados.

Como una misión de amor a la altura de los valores cristianos, el programa de educación cristiana para una niñez con necesidades especiales nos desafía a repensar cómo estamos respondiendo y cumpliendo con el llamado de Dios. Ese llamado al cual respondimos positivamente y nos comprometimos a servir con dedicación, nos desafía a servir a toda la población por igual. Nuestra respuesta fue la de tomar seriamente nuestro compromiso para aceptar a todos. ¡No solo a quienes son como nosotros! En ese peregrinar de fe, todos tenemos la oportunidad de aprender y crecer en diferentes formas que nos permiten disfrutar la alegría de traer y ver a Dios en las personas que algunas veces son ignoradas, lastimadas o subestimadas.

Las niñas y los niños son preciosos para Dios. ¡Todos! Ellos tienen un alma que necesita conocer el amor de Dios y a Jesús como nuestro Señor y Salvador. Cada uno de ellos es valioso e importante. Alcanzar a la niñez con necesidades especiales es un reto. Cada niño está formado de manera única, por eso la experiencia en enseñanza con estos niños será única también. Lo que puede funcionar con un grupo no necesariamente va a funcionar con todos los demás. Responder apropiadamente a las necesidades de un alumno puede significar otras adaptaciones que las presentadas en esta guía. No permitas que la discriminación, las actitudes de rechazo y las conductas de marginación sean barreras para incluir a estos niños en su ministerio. De acuerdo con varios estudios realizados en relación a estos temas, un obstáculo que enfrentan frecuentemente las familias de niños con «los ángeles que brillan» es la falta de aceptación en las iglesias. Alrededor del 90 % de las familias de miembros con necesidades especiales no asisten a la iglesia. ¡Esto es inaceptable!

Estos son algunos datos de la Organización Mundial de la Salud, que nos pueden interesar:

► El 10 % de la población mundial, o 650 millones de personas, viven con alguna condición relacionada con necesidades especiales.

▶ El 20 % de los pobres en el mundo son discapacitados, y la mortalidad para niños y niñas con necesidades especiales puede ser tan alta como el 80 % en algunos países.

Hay una extensa gama de personas con necesidades especiales. Esa realidad nos preocupa. A esto le añadimos lo que vemos y oímos sobre la niñez en esclavitud y gangas, los que son utilizados en las guerras, los que están en las cárceles, los que están acuartelados por discrimen, etc. Son criaturas de Dios que necesitan romper las cadenas de pecado, abuso y desesperanza. Es una niñez que espera por nosotros, los líderes de las diferentes iglesias y congregaciones.

Esto nos hace pensar en la necesidad urgente que tenemos por delante de incluir un ministerio que tenga un lugar para todo tipo de niños. Tú quizás te sientas insuficiente para la tarea, quizás nervioso o tenso alrededor de niños con necesidades especiales. No eres el único; otros se sienten así también. Oremos todos para que el Señor nos ayude a conocer cómo aprende este sector importante de la población nuestra, para poder ser eficientes en el proceso de educación cristiana. Deseamos poder alcanzarlos con el evangelio de Jesús y lograr llevarles esperanzas para el futuro. Cuando las iglesias y el liderato que trabaja con la niñez los incluye, junto a sus familias en sus ministerios, el pueblo de Dios será impactado y bendecido. La transformación comenzará en toda la comunidad.

Guía para trabajar en equipo

Los líderes pueden revisar esta guía para ver las herramientas que necesitan, para que un equipo de personas especializadas pueda trabajar con un grupo que acepta e integra niños con necesidades especiales. A medida que el grupo aumenta en confianza en el uso de diferentes habilidades, pensarán en nuevas maneras de trabajar con la niñez efectivamente.

Los siguientes pasos son importantes:

1. En primer lugar, debes tratar a los padres y madres como expertos de sus hijos e hijas. Pídeles ayuda, estrategias e ideas. A ellos les agradará tus preocupaciones y deseos de aprender más sobre su hijo o hija. Tu grupo funcionará mejor en cuanto los niños, las niñas y los líderes se conozcan más. Comparte estas ideas con otros grupos que conozcas. Es necesario poder ayudarnos los unos a los otros.

2. Toma en consideración la planificación individual. Mantente dispuesto a enseñar con amor incondicional, paciencia y tolerancia. Mantente listo para ministrar o trabajar con la niñez que necesite mucho más tiempo y trabajo. Recluta un equipo con los mismos objetivos. Trata de personalizar las lecciones. La meta es transformar y guiar a los niños a una vida abundante en Cristo.

3. La adaptación es muy importante. Adapta las experiencias de aprendizaje para la niñez antes y durante las actividades. Enseña en pasos pequeños, lógicos y secuenciales utilizando bastante repetición para el grupo. Enseña versículos para memorizar con muchas pistas, claves y enfócate en la calidad de la retención.

4. Nútrete con el conocimiento de los que conocen a tus alumnos más que tú. Usa el conocimiento de las familias y cuidadores para obtener instrucción y consejos del cuidado hacia los niños con necesidades especiales. Pide consejos y opiniones a los padres.

La práctica, junto a los buenos deseos de servir con eficiencia, puede ayudar a la hora de preparar la lección, la dinámica o la charla.

Considera las siguientes recomendaciones a la hora de comenzar. Son simples guías al iniciar a incluir a la niñez con necesidades especiales en tu grupo. Recuerda que no todo necesariamente servirá para tu dinámica personal. Puede depender de tu región, país, y tu sistema de organización eclesiástica. Tendrás que personalizarlo a tu necesidad.

1. Depende de la oración para que Dios te ayude a desarrollar un plan para alcanzar a «los ángeles que brillan».

2. Escribe una breve declaración de visión (dos oraciones como máximo), que te ayuden a explicar lo que quieres hacer. Reúnete con el líder de tu iglesia y comparte y dale forma a la visión.

3. Haz una encuesta de cuántos niños y niñas con necesidades especiales hay en tu comunidad.

4. Identifica con cuál de ellos puedes comenzar a trabajar.

5. Identifica las barreras que tendrá la niñez y marca las zonas de peligro y problemáticas.

6. Recluta y adiestra un personal voluntario. Orienta con claridad lo que harán o no harán en su trabajo voluntario. Usa esta guía como un entrenamiento inicial, información y referencia. Mucha más información sobre los niños con necesidades especiales la puedes encontrar en las bibliotecas o Internet. Usa agencias gubernamentales de salud, educativas, hospitales y páginas electrónicas específicamente con temas de discapacidades. Los foros, los blogs y los sitios de chateos no siempre son las mejores fuentes.

7. Discute y planifica con tus líderes y voluntarios la posibilidad de adaptar las lecciones y actividades.

8. Reúnete, entrevista y estudia la rutina con los padres o encargados.

9. Conversa de la información personal, médica y de emergencia de cada niño con los líderes de tu equipo. Recuerda que la confidencialidad y la privacidad de cada caso debe ser respetada por el equipo de trabajo.

10. Anima al equipo de líderes con testimonios y metas.

¿Quién puede ser un buen voluntario?

Las personas que pueden y están dispuestas a servir y participar en estos ministerios especializados, deben tener un nivel elevado de compasión y paciencia. Se pueden distinguir de la siguiente forma:

1. Pueden ser padres, madres, niñas y niños más grandes en edad que hagan sentir a la niñez con necesidades particulares bienvenida.

2. Deben ser seres humanos que amen y les guste el trabajo con estas importantes criaturas.

3. Es un personal que cree que tiene un relevante rol que jugar en la vida de un niño.

4. Un líder que no le importa hacer un trabajo adicional para ayudar a esta población con necesidades especiales que requiere su ayuda.

5. Hombres y mujeres que vean a la persona que sirve y ayuda como un potencial para ser un modelo para otros niños.

6. Toda persona que tiene conocimiento y entiende lo que son las necesidades especiales.

7. Todos aquellos seres humanos que hayan pasado de forma positiva las investigaciones locales de seguridad que le permiten trabajar con niños.

8. Toda persona que tenga una marca o ficha policial por

pedofilia, abuso o maltrato familiar, entre otras calamidades, no califica ni debe estar cerca de nuestros niños.

Recuerda que para todas las instituciones o grupos que tienen estos programas, es obligatorio y un deber serio y responsable de tener niños y niñas seguras.

Diferentes niveles de aprendizaje de la niñez con necesidades especiales

Los niños con necesidades especiales tienen diferentes fortalezas en el aprendizaje al igual que la niñez con mayores destrezas. Las siguientes destrezas o preferencias de diferentes «ángeles que brillan», son solo algunos ejemplos que te darán información para estructurar la lección:

1. Algunos niños aprenden mejor a través de la música y los ritmos.
2. Otros, puede ser que escuchando historias y contestando preguntas, o usando sus manos y cuerpos para hacer algo, logren mejor encarnar en el aprendizaje.
3. Aun otros aprenden resolviendo adivinanzas y problemas, o compartiendo sus ideas en un grupo.

Conocer las diferentes áreas fuertes y débiles de la niñez, ayudará al maestro y al personal voluntario en el desarrollo de las diferentes actividades que realicen con estas extraordinarias criaturas. Además, les permitirá fortalecer su desarrollo, y ayudará al maestro o líder a preparar un programa balanceado que tome en cuenta las necesidades reales de todos los niños.

Si elige, por ejemplo, explorar una historia bíblica mediante el dibujo y la imaginación, debe hacer también otros tipos de actividades para memorizar las Escrituras y orar, que no incluyan el dibujo. Así planee una lección variada e interesante para los niños y los líderes.

No hay sentimiento de maldad o mala voluntad en estos niños

Cuando los líderes y los maestros aceptan y aman a los niños saludables con sus imperfecciones, de la misma forma que a la niñez con necesidades especiales, estarán demostrando gracia para todos por igual. Este sentimiento de los adultos, los alumnos lo perciben y le permitirá a cada niño el tiempo y la flexibilidad emocional para descubrir y aceptar a sus compañeros de clase tal y como son. Descubrir esto por sí mismos es una poderosa herramienta para cambiar prejuicios y conductas de rechazo arraigadas profundamente en ambos grupos: la niñez con mayores destrezas y las de condiciones particulares.

Algunos niños con necesidades especiales son incapaces de imaginarse que su conducta pueda afectar a sus compañeros. No hay en estos «ángeles que brillan» sentimientos de maldad o mala voluntad. Poseen corazones limpios y sus pensamientos no tienen manchas. Dales tiempo y la ayuda necesaria para que se ajusten al salón y a las personas. Proporciona o incentiva el descubrimiento de un «amigo o amiga» comprensiva, que les ayude a conectarse con alegría cada vez que estén con el grupo.

Recuerda que la lista de niños con necesidades especiales es amplia y cada una con características particulares. Algunos casos son los siguientes:

1. Condiciones y enfermedades crónicas de nacimiento, problemas con heridas traumáticas al cerebro (como perlesía cere-

bral), asma, diabetes, paraplejia, amputación y otras. Estas condiciones les restringe los movimientos, necesitan dietas especiales y atención particular. Algunos quizás tengan sillones de ruedas y otros equipos ortopédicos o tecnológicos para asistirlos, y que requieran más espacio en el salón de clases. Esa posibilidad de poder expresarse y moverse con mayor ligereza, les ayudará a relajarse y a participar en clase con mayor libertad. Aunque algunos de estos alumnos pueden sentir que no necesitan ayuda alguna, recuerda siempre planificar cómo minimizar su frustración al participar en clase.

2. Los casos particulares de autismo y el síndrome de Asperge, pueden presentar problemas de conducta, de integración o de relación. Algunos niños y niñas con estas condiciones son incapaces de imaginarse que su conducta afecta a sus otros compañeros. Facilita el tiempo necesario para que se ajusten al salón y a las personas. Trata a estas criaturas sensibles y amorosas con atenciones de cariño, y provéeles un «amigo o amiga comprensiva», con quien puedan conectase cada vez que estén con el grupo.

3. La niñez con dificultad de aprendizaje tiene problemas procesando la información, como los que padecen de dislexia (dificultad con la lectura, entendiendo conceptos numéricos, leer la hora). Muchos niños y niñas con problemas en el desarrollo pueden experimentar dificultades en el aprendizaje también. Pueden tener problemas con la memoria corta o larga, dificultad comprendiendo los números, limitaciones en las destrezas de lectura y escritura, y con la coordinación y percepción, entre otros. La repetición es una buena técnica de enseñanza con ellos. Dales suficiente tiempo para responder, jugar y hacer tareas. Explicarles el por qué y el cómo puede ser de mucha

ayuda. Tratar con esta población de forma individual y privada puede reducir la frustración y la vergüenza, y se puede lograr que aprendan y se apoderen de la idea de lo que se está enseñando.

4. Los niños con dificultades de audición y visión suelen tener problemas serios de comunicación. Algunos son total o parcialmente sordos. Quizás usen el lenguaje de señas o la lectura de labios para comunicarse. Otros tienen problemas con el lenguaje en el habla y la articulación, y otros desórdenes como el tartamudeo. Asegúrate de que los niños con esas necesidades, estén frente a ti para las instrucciones. Planea usar señales de manos y cuerpo durante los juegos y usa láminas y visuales durante las tareas. La niñez con problemas visuales puede ser parcialmente o totalmente ciega. Algunos leen en Braille, otros necesitan letras grandes de impresión para leer. Pueden tener visión de túnel, estrabismo, ojo vago, o doble visión. Sus otros sentidos están más agudizados. Usa material escrito con letras grandes para que lean. Planifique usar señales de sonido, un silbato, campanas o música en sus actividades. Asegúrate de que el grupo esté lo suficientemente callado para que los niños puedan escuchar y entender cuando tú estás hablando.

5. Los problemas cognoscitivos y de retardación. En algunos niños se refiere a un grupo de condiciones causadas por varios desórdenes genéticos y de infección. Estas condiciones resultan en limitaciones o lentitud en la habilidad individual o general de aprender y dificultad en comunicar y retener información. Al igual que en todos los grupos, hay muchos tipos de discapacidad intelectual con varios grados de severidad. Su déficit de aprendizaje requiere mayor esfuerzo que el de un niño promedio. Dales suficiente tiempo para que puedan

cumplir con su meta. Evita darles tareas que están sobre su nivel de comprensión.

6. Hay otro grupo de niños con disturbios emocionales, mentales y con problemas de conducta. Los problemas de conducta incluyen a los niños con ADD (Trastorno por déficit de atención), ADHD (Trastorno por déficit de atención con hiperactividad) y ODD (Trastorno negativista desafiante). Los disturbios emocionales son diferentes a los problemas de conducta, pero los retos que estos niños exhiben son similares. Tienen problemas de concentración, pueden ponerse agitados con cambios súbitos en el equipo de líderes o en su rutina. Puede causar episodios de conducta inapropiada o inesperada. Son la niñez que se presenta con discapacidad de conducta o conductas desafiantes. Este tipo de conductas son una expresión de la interacción de las personas con su entorno. Se diferencian de los problemas de conducta porque se presentan en determinados contextos. Aparecen generalmente cuando las posibilidades de expresión son limitadas y en situaciones en que predominan la frustración y la angustia. Es posible trabajar desde un equipo interdisciplinario y relacional para que estas conductas se reviertan, reduciendo la conflictividad y mejorando de este modo la calidad de vida del niño con retardo mental que las presenta en su interacción social.

7. Hay otro grupo de niños y niñas que pueden llegar a nuestros salones de clase. Son los excepcionalmente brillantes y talentosos. Generalmente, esta niñez no se menciona cuando se habla de niños con necesidades especiales. Estas criaturas poseen un nivel de inteligencia, o tienen unos talentos únicos que requieren también atención especial. Deben ser retados y estimulados para que no encuentren la clase aburrida y sin

desafío personal. Dales posición de liderazgo, que enseñen a sus compañeros, y, al igual que a todos los niños del grupo, celebra con ellos cuando hacen algo mejor de lo que normalmente hacen.

Diferentes necesidades

Todos los niños tienen necesidades básicas. Como líderes de nuestra niñez en las diferentes congregaciones donde servimos, debemos conocerlas. Algunas son las siguientes:

1. Ser amado

Dios ama a cada niño y a cada niña. Al incluirlos a todos en tu ministerio, tendrán una mayor oportunidad de entender que Dios los ama. Lo lograremos por medio de las palabras, acciones y esfuerzos que hagamos, como parte del cuerpo de Cristo, y en beneficio de cada uno de ellos.

2. Ser valorado

Jesús valoró a la niñez. Los hizo coherederos del reino y los puso como ejemplo de creyentes ante los adultos, para que los hombres y las mujeres entendieran mejor cómo Dios quiere que los miembros de su reino se comporten. Jesús elevó el significado de la niñez al hacer un acto de adoración al servirles: «El que recibe en mi nombre a uno de estos niños, me recibe a mí; y el que me recibe a mí, no me recibe a mí sino al que me envió» (Mr 9.37, NVI).

3. Ser aceptado

Dios habla de su reino como una familia y un cuerpo. El Señor nos ha hecho con necesidad de aceptación, con seguridad de que pertenecemos a él y que somos parte de su familia, que es la iglesia. Esto es tan importante para la niñez como para Dios, nuestro padre celestial.

4. Ser retado

Amonestación, retos y elogios construyen el carácter, tanto en los niños como en los adultos. Ayudar a los niños a que levanten sus ojos al Dios maravilloso y perfecto les da una realización de su propia naturaleza imperfecta. El sentirse parte de la comunidad de fe les ayuda a establecer metas futuras, de acuerdo con sus capacidades, para su madurez en Cristo.

5. Tener límites

La Biblia provee límites seguros de actitudes y comportamientos. Los Diez Mandamientos es un buen inicio, el Sermón del Monte da más información sobre internalizar comportamientos y convertirlos en creencias y actitudes. Y el mayor mandamiento y el segundo por igual, nos muestran dónde Dios quiere que concentremos nuestros esfuerzos. Eso es cierto, tanto para niños como para adultos.

Los dos mandamientos fundamentales que Jesús nos enseñó son fáciles para los niños recordar y comprender: «Ama al Señor tu Dios con todo tu corazón, con todo tu ser, con todas tus fuerzas y con toda tu mente», y: «Ama a tu prójimo como a ti mismo» (Lc 10.27, NVI).

6. Ser reconocido

Jesús estuvo enojado con sus discípulos por estorbar su interacción con la niñez. Él sabe lo importante que es reconocerlos, tomarlos en sus brazos y bendecirlos.

7. Tener una identidad

Dios conoce sus hijos. De cada uno, conoce sus días, sus acciones, pensamientos y creencias. Pero para cada niño hay más. Las maneras y planes de Dios no son solo para el adulto maduro. Su plan para cada uno de sus hijos les da su verdadera identidad, porque es su Creador y su Padre.

«Porque yo sé muy bien los planes que tengo para ustedes —afirma el Señor—, planes de bienestar y no de calamidad, a fin de darles un futuro y una esperanza. Entonces ustedes me invocarán, y vendrán a suplicarme, y yo los escucharé. Me buscarán y me encontrarán, cuando me busquen de todo corazón. Me dejaré encontrar —afirma el Señor—, y los haré volver del cautiverio. Yo los reuniré de todas las naciones y de todos los lugares donde los haya dispersado, y los haré volver al lugar del cual los deporté, afirma el Señor» (Jer 29.11-14, NVI).

El trabajo con esta importante población infantil es inmenso y desafiante. Cada vez que trato de profundizar en este tema mis fuerzas flaquean. El sentimiento de poder contribuir para llevar alegría y esperanza a estas criaturas que viven inmersos en un mundo tan complejo, se debilita. Veo y palpo que crece la necesidad de unir esfuerzos para que estos «ángeles que brillan» sigan iluminando el camino, pero no a la velocidad que todos se merecen. Con mayor compromiso, preparación y pasión podemos lograr llegar junto a ellos a los lugares más altos que Dios nos tiene preparado.

Hay otro sector de esta población que no podemos ignorar. La niñez que tiene que permanecer en el hogar por las múltiples necesidades que posee. La profunda sensación de soledad, tanto en el niño y su familia, es frecuente y creciente. Tal vez no se necesita crear un ministerio dentro de la iglesia para ellos; sin embargo, la congregación puede organizar un buen programa de acompañamiento y apoyo que llegue hasta el hogar. La educación cristiana que afirma el amor, amplía el concepto de esperanza y ayuda a superar los sentimientos de soledad y tristeza que pueden llegar a los hogares.

Las siguientes recomendaciones pueden ayudar a ser más efectivos:

1. Hora

En un proyecto educativo como este es importante tomar en cuenta los horarios. Visita en la hora más conveniente para los padres, cuidadores, y el niño. Algunos reciben terapia o cuidados profesionales en la casa que no pueden ser interrumpidos. Puede haber varias razones, por ejemplo, que los costos para la familia podrían aumentar si las sesiones son interrumpidas o atrasadas debido a la actividad de la iglesia. Llama primero para confirmar el mejor momento para la visita.

2. Entusiasmo

Crear con anticipación una presentación cargada de emoción, alegría y entusiasmo. Una visita tuya puede ser lo que ilumine el día de esta familia. A veces es difícil para nosotros creer que somos un regalo de parte de la familia de Dios para ellos.

3. Bolsa de sorpresas

Trata de llevar una bolsa de sorpresas en cada visita. La bolsa puede contener todo lo que necesitas para la lección, o algo especial que, cuando el niño lo ve al abrir la bolsa, lo relacione con el tema que van a estudiar. Puede ser un presente pequeño envuelto, un objeto interesante para aumentar la curiosidad, dulces o alguna sorpresa para alegrar su día y fortalecer su relación con Jesús.

4. Tareas de repaso para la casa

Prepara para cuando no estás presente, algunas lecturas bíblicas adicionales para la semana. Usa grabaciones de audio (disponibles en internet) para los niños que no pueden leer. Prepara un paquete de actividades cortas y divertidas, para que el niño pueda hacer durante la semana. La preparación adicional puede ser solamente de investigación. Aprovecha los recursos del internet para ti y el niño, si cuentan con el servicio. Usa algunas de las actividades y juegos cristianos que se encuentren en línea gratuitos.

5. Enlace

Une la niñez con el ministerio educativo de la iglesia. Tener noticias de otros del grupo puede ayudarte a conocer y tener nuevas amistades. Puede haber niños con ministerios en la casa que ya tienen enlaces con otros. Usa cartas, fotos, dibujos, correo electrónico y videos para aumentar la interacción entre ambos.

6. Identifica temas que los unan

Empieza con temas donde pueden encontrar cosas en común: Comida favorita, deportes, la parte más chistosa de la Biblia, etc. Cada conversación puede durar varias semanas. Dale la oportunidad a la niñez de empezar la conversación y elegir los temas. En cuanto se conozcan más, utiliza otros enlaces, como visitas, paseos especiales en grupo y proyectos donde juntos puedan responder a alguna necesidad.

7. Mantén un ambiente sencillo

Lo más importante que tienes para ofrecer es a Jesús. Asegúrate que el camino entre el niño y Jesús sea lo más claro y corto posible. Utiliza un tiempo simple de alabanza; usa canciones, reflexiones, elementos creativos, acciones y oración; y dedica un tiempo de lección para escuchar la Biblia y descubrir lo que significa. Cuando planees el tiempo, tome en cuenta los niveles de energía y el tiempo de atención normal en el alumno.

8. Oportunidad para ser líder

Es importante dar tiempo para que el niño dirija la conversación o el tema. Invita a que cuente lo que ha descubierto sobre su relación con Dios. Permítele compartir con otros lo que han aprendido con la iglesia o el grupo de niños, a través de sus enlaces de comunicación.

9. La importancia de la oración

Pregúntale si tiene alguna petición especial que quiera compartir con el grupo para oración. Motiva a la niñez a orar por otros y dales la información adecuada para guiarlos en su oración intercesora.

10. Mantén tu visita en el contexto familiar

Tu posición como visita puede ser de suma importancia para el resto de la familia. Asegúrate de apartar tiempo en cada visita para relacionarte con el padre, la madre y la niñez de la casa, sin restar la importancia de lo que haces con la criatura con necesidades especiales. Pide oración para la familia.

La niñez con necesidades especiales afecta toda la familia. La rutina familiar, el presupuesto y los amigos sufren grandes cambios. El agotamiento emocional es extenuante. Es importante reconocer claramente lo que puedes hacer como visita y mentor de la niñez lastimada que está en la casa. Busca apoyo y ayuda adicional de la familia de la iglesia para ayudar con las otras necesidades que identificas. El cuerpo de Cristo se compone de muchos miembros. ¡No trates de ser el superhéroe para una familia necesitada! Comparte la necesidad y solicita ayuda. Conversa con los pastores de la iglesia para pedir apoyo adicional para ayudar a los parientes de estas angelicales criaturas.

La familia y los cuidadores presentes las 24 horas del día, a menudo se sienten aislados de la sociedad, con cargas pesadas, y sin esperanza. Las visitas apropiadas, ofertas de ayuda, entregas regulares de comidas, pueden proveer mucho alivio y propiciar más conexiones sociales para los familiares. Es importante estar consciente de las necesidades de los hermanos de esta niñez. El estrés cotidiano de tener un hermano o hermana con necesidades especiales puede hacerles sentir a veces frustrados, enojados, avergonzados, ignorados y posiblemente incómodos por la gran cantidad de desconocidos que pasan por su casa. Un cristiano preocupado, amoroso y cariñoso puede marcar una diferencia en su vida.

Reconoce que algunos miembros de la familia tal vez sean negativos sobre la visita de personas a sus casas, debido a los problemas y a las situaciones que limitan el rápido desarrollo y movimiento. Las conexiones meramente sociales y opcionales incentivan que la familia se niegue a recibir las ofertas de ayuda e invitaciones de salir de sus casas para socializar y adorar al Señor junto con personas de la iglesia. Hay otras maneras de servir a la niñez y a las familias que tienen que estar en sus casas. Utiliza las mejores ideas que funcionen bien para tu grupo y compártelas con otros líderes.

Creatividad y compromiso

De la misma manera que nos preparamos para las actividades seculares que organizamos, estos eventos educativos con personas con necesidades especiales también requieren de nosotros buena planificación y mejor organización. En primer lugar, es bueno reunirse con otros líderes, orar por los alumnos y leer la Biblia.

▶ Una preparación previa es necesaria e importante. Se pueden asignar puestos de trabajo a cada líder, incluyendo ayudas individuales para personas con las necesidades especiales. Y mientras se preparan para la lección, es bueno también pensar en la diversión y actividades interesantes para realizar ese día. Puedes preparar la sala para los niños en función del tema que tienes. Un ejemplo sería un tema de la fiesta con decoraciones. En tu caso, ponte en contacto con cada uno de los estudiantes con necesidades especiales durante la semana, para recordarles lo que va a suceder y cómo te gustaría que ayuden. Puedes enviarles notas de recordatorio durante la semana antes del evento. Haz los ajustes necesarios con los muebles y espacios que vas a necesitar para los alumnos con necesidades especiales que invitaste.

▶ Recibir en la entrada de la puerta. Es siempre importante hacerlos sentir bienvenidos cuando llegan a recibir la lección. Puedes tener los nombres en etiquetas listas para cada invitado. Ten también listas algunas etiquetas adicionales para escribir los nombres de los nuevos alumnos que llegan. Todos los niños pueden escribir sus nombres alrededor de la palabra «Bienvenidos» en un papel grande. Este se puede colgar cerca de la puerta cada semana. Los líderes y los otros niños pueden estar en la entrada para darles la mano a las personas nuevas. Las criaturas con necesidades especiales que requieren la ayuda de un «amigo o amiga» deben ser recibidas en un momento particular, aunque el tiempo para ellos siempre estará abierto.

Si es apropiado, para tus «ángeles que brillan», ten un nuevo y divertido apretón de manos, juego o acción para enseñar a la niñez cada semana. Esto puede ser desafiante para la niñez que lucha con los cambios de rutina, y no tienen un compañero para ayudarles a relajarse y hacer frente a los diferentes aspectos del programa. Cuando los niños llegan, les pedimos que se una al equipo para recibir a los que no han llegado. Cada criatura puede entrar por el medio de dos filas que se han ido creando con los demás niños y líderes, mientras se va aplaudiendo y celebrando con alegría el inicio del evento. A veces puede ser útil y adecuado presentar al niño con necesidades especiales al grupo, explicar con gracia las necesidades de estas criaturas al grupo y cómo todos vamos a colaborar para que la experiencia del día sea alegre y de mucho aprendizaje.

Las siguientes recomendaciones pueden contribuir a que todos disfruten de una experiencia hermosa, feliz y educativa:

1. **Gracia y sencillez.** Una bienvenida grupal, alegre y de acción. Incentiva a que todos los niños que puedan se sienten en el suelo y otros en áreas preparadas. Prepara con tiempo este momento y ten listos dos o tres líderes cerca de ti y el grupo. Mantén el control, y utiliza el tiempo corto y fluido. Los alumnos nuevos deben de ser los primeros en ser saludados. Un líder puede presentar otro líder y hacerles preguntas, tal vez relacionadas con el tema del día. Un líder puede hablar de una experiencia que han tenido que se relaciona con la historia bíblica. Por ejemplo, si la historia bíblica es acerca de decir la verdad, entonces el líder puede contar una historia acerca de cómo se metió en problemas por decir mentiras, o algo importante que pasó cuando le dijeron la verdad.

2. **Diálogos y juegos por grupos.** Los niños se colocan en grupos de entre 5 y 10 niños con un líder. Se debe trabajar con estos mismos grupos cada semana. Es bueno en algunos momentos separar los niños y las niñas en grupos por género. En ese

momento, el líder puede preguntar a los alumnos acerca de su semana y presentar las visitas. El versículo para memorizar de la semana pasada se puede repasar. Integra un juego corto o un reto físico. Por ejemplo, pregunta: ¿Qué trucos se puede hacer con los dedos? O ¿creen que todos nos podemos sostener? Comienza utilizando juegos conocidos por todos. Hay muchos juegos que puedes encontrar por internet, que resultan adecuados para estas criaturas en desarrollos especiales. También puedes enseñar un juego nuevo que puede estar relacionado con el tema de la lección. Selecciona juegos que unan a todos los alumnos. El objetivo de estas actividades es que todos se sientan bienvenidos y parte de la clase. Hay juegos que incentivan el poder conocerse mejor, y logran romper el hielo del silencio para iniciar una bonita amistad. Por ejemplo, puedes encontrar a una persona en el grupo con un nombre que empiece con la misma letra del nombre de otro de los alumnos. O identificar a los estudiantes que les guste la misma comida, las mismas frutas, los mismos juguetes.

3. **Enfatiza el tema de la lección desde el comienzo.** Introduce el tema de la clase con dibujos, música, colores. Puedes iniciar y continuar la enseñanza haciendo alguna demostración, drama o contando una historia para estimular la curiosidad de la niñez. Por ejemplo, si estás haciendo la historia de la creación: un líder puede hacer la pintura o la escultura, mientras que otro dirigente le esté entrevistando. Para la historia de David y Goliat, hacer una actividad sencilla, donde todos logren ver lo fuertes que son en comparación a otras personas en la clase.

4. **Muchas de las historias bíblicas tienen una narrativa definida.** Poseen un principio, una continuación y un fin. Y generalmente tienen un personaje principal. A la hora de impartir la

enseñanza con los niños con necesidades especiales, recuerda ser breve cubriendo toda la historia. Observa bien cómo está reaccionando la niñez y mantén el control de la clase. Haz de ese momento una experiencia educativa amena, alegre y al nivel de cada alumno. Los maestros no se deben frustrar y mucho menos desanimar si la reacción de la niñez no es la que esperan. La buena voluntad y la excelente preparación del personal que trabaja con estos grupos es la mejor compañía que estas criaturas maravillosas pueden poseer. La adaptación, el crecimiento y las grandes transformaciones las dará el Señor en el momento que muchas veces no esperamos.

El cansancio y las frustraciones pueden sorprenderlos a todos

La necesidad de tomar tiempo de descanso es de todos. Tanto la familia como los líderes necesitan espacios de liberación cuando se sienten cansados o frustrados. Una realidad que podría ser eficaz con un descanso de 5 minutos, para orar y respirar profundo, o puede significar la planificación de un día o un periodo de vacaciones más largo, cuando el ministerio con los «ángeles que brillan» toma un periodo de receso. Si no se hace, puede el personal de trabajo caer en una rutina que lo lleve a interactuar de forma inadecuada con la niñez que tanto los necesita.

Esos periodos de frustraciones o cansancio deben ser bien atendidos para evitar que las relaciones personales con la niñez sean ofensivas. Hay que evitar humillar a los niños que manifiestan descontrol, hiperactividad y otras expresiones de mala conducta. La disciplina debe ser firme, consistente y de control, pero siempre con manifestaciones de bondad, respeto, dignidad, gentileza. Los niños con necesidades especiales a menudo son mucho más vulnerables a los abusos de los adultos u otros niños, debido a su incapacidad para comunicarse, protegerse a sí mismos o procesar lo que les está sucediendo.

Celebrar con estos alumnos tan sensibles sus logros y buena conducta les hace mucho bien y los ayuda a mejorar su desarrollo. Por eso es importante reconocer y premiar el buen comportamiento de los estudiantes. Preocúpate por notar cuando los alumnos están haciendo lo correcto y felicítalos frente la clase. Las palabras de reconocimiento deben ser de forma personal y deben ajustarse al alumno y al maestro: «¡Qué bien estás escuchando (nombre)!». «¡Me encanta cuando todos escuchan cuando habla (nombre)! ¿A quién más le gusta cuando la gente les presta atención cuando hablan?».

La niñez con necesidades especiales responde a reglas simples y claras

Si es necesario, escribe las reglas que deseas resaltar en un cartel y colócalo en la pared. Luego explícalas al principio de cada clase, si crees que necesitas poner los parámetros de comportamiento desde el principio y regularmente. Dirígete al cartel y léelas cada vez que sea necesario.

Algunos niños carecen de la habilidad de pensar antes de actuar. Cuando le ofreces al niño tiempo para decidir cumplir con lo que se le ha pedido, le permites un espacio para pensar y procesar lo que antes no pudo hacer. El tiempo que vas a ofrecer lo puedes presentar de la siguiente forma: contar del uno al tres, un reloj de 2 minutos, o un lugar de «pensar». Esto brinda al líder y al niño tiempo de enfriarse y tomar el próximo paso de forma sabia.

La comunicación debe ser clara. Respira y escucha en tu mente lo que va a decir antes de decirlo. Solo haz una pregunta si quieres una respuesta. Ofrece opciones solo si en realidad hay opciones. Esto requiere mucha práctica del líder, especialmente en culturas donde usan la ironía y el sarcasmo para probar su punto.

Por ejemplo, no preguntes: «¿Te gustaría dejar de hacer eso?», cuando en realidad necesita parar con ese comportamiento de inmediato. Los alumnos menores de 7 años aún no comprenden la ironía y el sarcasmo. Hasta los 10 años, la mayoría de la niñez aún está desarrollando su entendimiento de ideas abstractas. No humilles al estudiante para tratar de detener cierto comportamiento. Es más amoroso recordarles las reglas, darles advertencias y aplicar consecuencias.

Hablar claro y simple en asuntos de disciplina es lo más efectivo. Nada es tan frustrante y poco eficaz que hacer lo mismo vez tras vez cuando no funciona. Mantente dispuesto a hablar de estrategias con los padres y los líderes. Es de sabios reconocer los momentos de frustración, y luego moverse a buscar otras estrategias para probar con tu grupo, en particular cuando se trata de disciplinas continuas. Hay muchas maneras de disciplinar niños con necesidades especiales.

Identifica con tiempo las reglas que crees que es necesario afirmar constantemente con nuestros niños. Puedes encontrar ayuda en diferentes medios como internet, libros, bibliotecas, en relación a las instrucciones y normas que la niñez con necesidades especiales debe reforzar o conocer. Hay artículos, trabajos y programas dirigidos a «cómo organizar un programa efectivo para la niñez con necesidades especiales». En muchos de estos recursos, podrás encontrar mayor información relacionada con la conducta, la disciplina y las reglas que se deben tomar en consideración con esta población que también es capaz de aprender.

La oración, detalles de amor y las despedidas

Enseña sobre la oración en todo momento. Podemos hablar con Dios en todo tiempo, y decirle lo que deseamos. No hay maneras particulares y correctas de orar, especialmente cuando se trata de nosotros y nuestros «ángeles que brillan». No tenemos que esperar horas especiales para que Dios escuche nuestras oraciones. Dios nos oye todo el tiempo. Cuando las decimos con voz fuerte y cuando las pensamos. El Padre Nuestro nos enseña a alabar, agradecer, confesar y pedir. Cualquier momento es un buen momento para detener la lección y orar con los niños, individualmente o en grupos. Por razones de responsabilidad, asegúrate que el líder y el alumno siempre estén visibles para otros.

Oración en grupos pequeños

Hasta 10 niños y niñas se pueden sentar en un círculo con un líder. La ventaja de la oración en grupos pequeños es que la niñez se siente menos presionada que en los grupos grandes. Un buen ejemplo de oración en grupo es cuando todos oran tomados de las manos, y repitiendo la oración dirigida por el adulto. Debe ser breve y repetitiva. Usar el nombre de algunos de los alumnos enfermos o que están ausentes afirma el amor y compañerismo por los demás. Repetir las palabras ayuda a los alumnos con problemas de procesar información, problemas de pronunciación o problemas de conducta. Una oración corta, poco a poco dirigida y con música suave, fomenta la calma, y el respeto y amor hacia Dios.

Elige ese tipo de actividad cuando los niños con estas necesidades particulares pueden ser guiados, apoyados y motivados durante el proceso. Como alternativa, pueden orar sentados o parados en círculo y agarrados de las manos. Generalmente, aprietan la mano del compañero cuando han terminado con su oración. Esto puede ayudar a guiarlos hasta el final de la oración, y si no quieren orar simplemente aprietan la mano de la persona que les sigue.

Enseña a la niñez a orar por sus compañeros y familias. Une a los alumnos por pareja a la hora de orar con y por los otros compañeros. En diálogo con ellos, dales tiempo para que compartan algo que les ha pasado en la última semana por lo cual desean orar. El compañero puede orar por esa necesidad. El líder también puede proveer temas de oración para que los niños oren en parejas o en grupo.

Un detalle de amor marca la diferencia

A los niños siempre les gusta llevarse algo para la casa, luego de un gran día en la iglesia. Identifica un «detalle de amor» que esté relacionado con la actividad del día y le servirá de ayuda para recordar el tema estudiado. Trata de darles algo que simbolice la idea principal del texto bíblico. Por ejemplo, si el tema fue el Fruto del Espíritu, puedes darles una fruta a cada niño para compartir con su familia. Usa tu imaginación y creatividad. Recuerda no darles nada que pueda presentar algún peligro para el alumno, por ejemplo, que pueda producir alergias, algo que puede ser utilizado como arma.

Hay minutos adicionales que algunos alumnos pueden aprovechar con sus líderes. Un maestro o un asistente puede ocuparse de llevar a algunos de los niños a sus familias para que puedan disfrutar de un tiempo extra en la iglesia infantil. Esto presenta una oportunidad excelente para cualquier tema adicional que el niño desea decir o escuchar.

Alaba y celebra a los niños y las niñas que se comportan mejor de lo esperado. En momentos de juegos y tareas reconoce sus habilidades, y fomenta en esos instantes productivos el que se desarrollen fuertes lazos de amistad y compañerismo. Aprovecha los momentos ideales para enseñarle a la niñez sus límites de tiempo, y finaliza la actividad cuando llegue la hora. ¡Cuánto bien hacen esos detalles de amor!

Las despedidas

Luego de un día de grandes desafíos, aprendizaje, juegos y alegrías, una manera excelente para despedir a los niños es mediante una canción. Puedes cantar la misma canción cada semana. O tal vez quieras componer una canción de saludo, despedida, bendición. Pero las rutinas, en ocasiones, pueden transmitir seguridad a la niñez. Y la música los calma y los prepara para las próximas actividades. Cuando hay ambiente, y la niñez ha disfrutado del día, puedes terminar la actividad con una prueba de preguntas incluyendo la idea principal de la lección. Por ejemplo, si la lección fue sobre José, podrías hacer preguntas como: ¿Qué tipo de abrigo tenía José? ¿Cuántos hermanos tenía José? ¿Qué aprendió José?

Mantén las preguntas simples y dirigidas al nivel de tu grupo. Para niños con dificultades en dar una respuesta verbal, planifica preguntas que les den la oportunidad de hacer acciones, señalar al dibujo correcto, u otros tipos de respuestas interactivas.

Aprendamos de Jesús

Jesús también se acercó a las personas con necesidades especiales mientras ejerció su ministerio. Nos enseñó y nos dejó el mejor ejemplo de cómo servir, amar y acompañar a los demás. El Nuevo Testamento posee muchos y buenos ejemplos de las intervenciones de Jesús. Fue solidario y amoroso con el cojo, el enfermo, el discapacitado, el despreciado y el rechazado por la sociedad. ¡Qué gran modelo de inclusión nos da el Señor! Descubrimos en su ministerio el gran misterio y la sabiduría del reino de Dios. Los débiles son indispensables.

«Al contrario, los miembros del cuerpo que parecen más débiles son indispensables» (1 Co 12.22, NVI).

Nadie debe ser excluido de las buenas nuevas.

«Vayan por todo el mundo y anuncien las buenas nuevas a toda criatura» (Mr 16.15, NVI).

Jesús no rechazó a las personas con necesidades especiales.

«Se le acercaron grandes multitudes que llevaban cojos, ciegos, lisiados, mudos y muchos enfermos más, y los pusieron a sus pies; y él los sanó» (Mt 15.30, NVI).

Jesús se preocupa de cómo los incluimos.

«Más bien, cuando des un banquete, invita a los pobres, a los inválidos, a los cojos y a los ciegos. Entonces serás dichoso, pues aunque ellos no tienen con qué recompensarte, serás recompensado en la resurrección de los justos» (Lc 14.13-15, NVI).

Hay que salir a buscarlos. A veces están escondidos y hay que buscarlos. Jesús lo presenta de forma extraordinaria en la siguiente parábola:

«El siervo regresó y le informó de esto a su señor. Entonces el dueño de la casa se enojó y le mandó a su siervo:

"Sal de prisa por las plazas y los callejones del pueblo, y trae acá a los pobres, a los inválidos, a los cojos y a los ciegos". "Señor —le dijo luego el siervo—, ya hice lo que usted me mandó, pero todavía hay lugar"» (Lc 14.21-22, NVI).

Jesús notó y reaccionó al dolor de las personas con necesidades especiales. Muchos fueron ignorados y derramaron lágrimas en su dolor. ¡Hasta ellos llegó el Señor!

«Algún tiempo después, se celebraba una fiesta de los judíos, y subió Jesús a Jerusalén. Había allí, junto a la puerta de las Ovejas, un estanque rodeado de cinco pórticos, cuyo nombre en arameo es Betzatá. En esos pórticos se hallaban tendidos muchos enfermos, ciegos, cojos y paralíticos. Entre ellos se encontraba un hombre inválido que llevaba enfermo treinta y ocho años. Cuando Jesús lo vio allí, tirado en el suelo, y se enteró de que ya tenía mucho tiempo de estar así, le preguntó: —¿Quieres quedar sano? —Señor —respondió—, no tengo a nadie que me meta en el estanque mientras se agita el agua, y cuando trato de hacerlo, otro se mete antes» (Jn 5.1-7, NVI).

Servir a las personas con necesidades especiales es honrar a Dios.

«Les aseguro que todo lo que hicieron por uno de mis hermanos, aun por el más pequeño, lo hicieron por mí» (Mt 25.40, NVI).

Dios tiene un plan para todas las personas.

«A su paso, Jesús vio a un hombre que era ciego de nacimiento. Y sus discípulos le preguntaron: —Rabí, para que este hombre haya nacido ciego, ¿quién pecó, él o sus padres? —Ni él pecó, ni sus padres —respondió Jesús—, sino que esto sucedió para que la obra de Dios se hiciera evidente en su vida» (Jn 9.1-3, NVI).

CAPÍTULO 6

Autismo: Desafíos y posibilidades

La realidad

Al tomar en consideración los casos de trastornos del espectro autista (TEA), que cada vez siguen aumentando en las iglesias, voy a dedicar este capítulo exclusivamente a esta condición, que todo maestro de educación cristiana dirigida a la niñez debe conocer. Es importante saber que, si el domingo en la mañana asisten 100 personas a la iglesia, es muy probable que entre ellas haya una o más que sufra de TEA. Si la asistencia es de 300, 500 o 5000 personas, divide la cantidad por 100, y obtendrás el número aproximado de personas que sufren de esta singular condición, TEA.

A esos números básicos debemos añadir los niños de la comunidad en general que participan en algún programa comunitario y de servicio de la iglesia. Si el número de personas que sigue aumentando nos inquieta, es importante saber que se estima que alrededor del uno por ciento de la población en general encaja en este tipo de trastorno que ciertamente nos preocupa.

Posiblemente, si revisamos la asistencia de personas, o de niños con discapacidades en la iglesia que asistimos, vamos a descubrir que tienen muy poca representación o ninguna atención particular. Los apoyos pertinentes y necesarios no están disponibles, en efecto, brillan por su ausencia. Aunque son familias de la congregación, prefieren mantener a sus hijos aislados y fuera del núcleo eclesiástico, pues al no haber un programa para estos niños, la vida congregacional puede convertirse en una experiencia adversa.

Dios quiere que respondamos con sabiduría y pertinencia a esos números que aumentan, y a esa ausencia de niños con necesidades especiales en las congregaciones. Dios desea que cambiemos nuestros programas eclesiásticos y educativos, para responder con efectividad y sabiduría a esas nuevas realidades sociales. La Biblia identifica claramente cómo Jesús respondió a diversas situaciones de dolor, marginación y rechazo. Y hay ejemplos que nos conmueven y nos desafían.

Jesús se acercó con misericordia y amor a una persona que sufría de una condición emocional (quizá, epilepsia), a otra que era ciega, a varios que eran sordomudos, a los que sufrían enfermedades mentales, o que eran víctimas de rechazo, de abandono, etc. Y un texto bíblico de gran importancia teológica y pedagógica, y también apasionante, que ilustra esta actitud del Señor, es Mateo 18.14, cuando Jesús finalizó el relato de la parábola de la oveja perdida, con estas palabras: «Así también, el Padre de ustedes que está en el cielo no quiere que se pierda ninguno de estos pequeños».

Conozco muchos casos de TEA, que están cerca de mi corazón. Con esos niños y niñas he vivido muchas experiencias que han marcado significativamente mi vida. Podría relatar algunas vivencias, y en el proceso volvería a fortalecer mi fe. Sin embargo, prefiero contarles una historia que leí y tocó mi vida con fuerza, y con virtud transformadora. Va muy a tono con el texto bíblico de Mateo 18.14. La comparto en este libro, pues posiblemente algunas personas que la lean se sentirán identificadas con este singular caso, y otras reflexionarán sobre el mismo.

Una familia con un niño especial

Una familia de la iglesia evangélica se levantó temprano el domingo en la mañana para ir a la iglesia. Ese día su hijo, que padecía de TEA, se mostraba un poco inquieto. Al llegar a la congregación, uno de los líderes se le acercó a la madre y le sugirió que dejara a su hijo en la casa. Ella entendió, en las expresiones del líder eclesiástico, que ellos eran bienvenidos, pero su hijo no.

La familia jamás regresó a aquel lugar que asistían todas las semanas como parte del cuerpo de Cristo. Para ellos aquel lugar representaba una «fuente de agua» para saciar la sed que quemaba sus gargantas. ¡Ya no! Allí llegaban todas las semanas para fortalecer la esperanza de un mejor mañana, y esperaban recibir el apoyo que necesitaban para tratar y apoyar a su hijo, con la seguridad de que Dios y la iglesia lo amaban y lo acompañaban con ternura. ¡Pero el desconocimiento y el prejuicio imperaron!

Esta lamentable experiencia me hace recordar el texto bíblico de Mateo 25.40-46, donde Jesús nos recuerda cuál es nuestra verdadera misión como creyentes. «El Rey les responderá: "Les aseguro que todo lo que hicieron por uno de mis hermanos, aun por el más pequeño, lo hicieron por mí. Luego dirá a los que estén a su izquierda: Apártense de mí, malditos, al fuego eterno preparado para el diablo y sus ángeles. Porque tuve hambre, y ustedes no me dieron nada de comer; tuve sed, y no me dieron nada de beber; fui forastero, y no me dieron alojamiento; necesité ropa, y no me vistieron; estuve enfermo y en la cárcel, y no me atendieron". Ellos también le contestarán: "Señor, ¿cuándo te vimos hambriento o sediento, o como forastero, o necesitado de ropa, o enfermo, o en la cárcel, y no te ayudamos?". Él les responderá: "Les aseguro que todo lo que no hicieron por el más pequeño de mis hermanos, tampoco lo hicieron por mí". Aquellos irán al castigo eterno, y los justos a la vida eterna» (NVI).

Constructores del reino

Hace varios meses regresé de El Salvador, donde tuve la oportunidad de visitar una congregación que tiene un edificio completo dedicado a recibir, atender y educar a un grupo grande de niños, niñas y jóvenes con necesidades especiales. Tienen un sistema de trabajo donde preparan a los jóvenes con alguna condición especial (pero que tienen la capacidad de mejorar y ser diestros), y los convierten en parte de los recursos del programa de educación cristiana.

Muchos de ellos son asistentes de maestros, y ayudan de forma extraordinaria a «levantar a sus compañeros». ¡Se sienten muy orgullosos que los llamen «constructores del reino»! Eran personas que, a juicio de muchos estaban dirigidas a no lograr mucho en la vida, pero el amor, la visión y el compromiso de una iglesia con líderes comprometidos con la educación transformadora, logró que su futuro fuera otro. Se sienten personas dignas de ser parte de la familia de Dios. Y esa importante contribución al reino, es inconmensurable.

Esa singular congregación, como otras en las Américas, interpreta el texto de Mateo 18.14 de forma singular y diferente: «Así también, el Padre de ustedes que está en el cielo no quiere que se pierda ninguno de estos pequeños».

Autismo: Trastornos del espectro autista (TEA)

El autismo es un trastorno neurosicológico complejo, que por lo general dura toda la vida. Aunque sabemos que la intensidad de los síntomas puede mejorar significativamente con intervenciones tempranas y terapias pertinentes.

Actualmente se diagnostica con autismo a uno de cada 68 individuos, y a uno de cada 42 niños varones, haciéndolo más común que los casos de cáncer, diabetes y SIDA pediátricos.

Es cuatro veces más frecuente en los niños que en las niñas, y básicamente, el autismo afecta la capacidad de una persona para comunicarse y relacionarse con otros. También está asociado con rutinas y comportamientos repetitivos, tales como arreglar objetos obsesivamente o seguir rutinas muy específicas. Es una discapacidad compleja del desarrollo humano. Y esta afección es el resultado de un trastorno neurológico que repercute sobre la función normal del cerebro, afectando el desarrollo de la comunicación de la persona y sus habilidades de interacción social.

Los expertos creen que el autismo se presenta durante los tres primeros años de vida de una persona. Las personas con autismo tienen problemas con el desarrollo de la comunicación verbal, las relaciones sociales, la comunicación y la reciprocidad emocional.

El autismo es un trastorno de espectro amplio, que significa que no hay dos personas autistas que tengan exactamente los mismos síntomas. Además de experimentar diferentes combinaciones de síntomas, algunas personas autistas pueden experimentar síntomas leves del trastorno, mientras otros desarrollarán síntomas más agudos.

La forma en la que una persona con autismo interactúa con otro individuo, es muy diferente a como lo hace el resto de la población. Si los síntomas del autismo no son graves, los autistas pueden parecer personas socialmente torpes, a veces ofensivos en sus comentarios, o fuera de sintonía con las personas a su alrededor. Si los síntomas son más severos, la persona puede llegar a aislarse del resto del mundo, como si no estuviese interesado en absoluto en las personas que le rodean.

¿Cómo detectar el autismo en niños y adultos?

Cuando un niño se considera autista, debe ser por el diagnóstico profesional que realice un especialista de la conducta, luego de haber hecho una evaluación para estos fines. Como parte de este estudio el niño debe ser evaluado por un sicólogo o un neurosicólogo, un patólogo del habla, un terapista físico y ocupacional, y un geneticista. Esto no quiere decir que a simple vista no ocurran algunas señales que puedan ser claramente evidentes, pero no siempre las mismas corresponden al autismo infantil.

Esta condición que es considerada de neurodesarrollo afecta severamente el desarrollo cerebral, y es un trastorno que se presenta en los primeros años de vida. Hay tres ejes fundamentales que podemos mencionar como las consecuencias más marcadas del autismo en los niños, y que son los síntomas del autismo que con mayor claridad podemos mencionar al evaluar la condición.

Veamos a continuación cuáles son algunos de los síntomas que nos permiten detectar el autismo en niños y adultos:

► La comunicación en niños autistas: El principal aspecto que podemos mencionar en los niños autistas es directamente la comunicación. Aunque hay muchos tipos de comunicación, en el lenguaje oral, pero también en el lenguaje no verbal, los niños autistas se ven muy afectados por este singular trastorno. En los déficit incluidos en el área no verbal se encuentran la dificultad de establecer contacto visual, y el problema de entender gestos no verbales. Los niños se ven involucrados en su propio mundo y difícilmente salen de este. La comunicación se hace un poco complicada, y la mayoría de las veces, para que puedan decir unas pocas palabras, deben ser sometidos a intensas o frecuentes terapias del habla.

► Interacciones sociales en niños autistas: La manera en la que los niños autistas se comportan e interactúan con otros niños es fundamental, y sobre todas las cosas, el autismo infantil impide que el niño se desarrolle adecuadamente en esta tan importante área, como lo es interactuar con el resto de la comunidad.

► Conductas repetitivas de niños con autismo: Siempre es muy importante que podamos tomar en cuenta cómo nuestros hijos reaccionan a los hábitos y a las conductas repetitivas, porque para ello se requiere coordinación mental y memoria. Un niño autista no hace eso tan fácilmente, y esta es una de las áreas que enfrenta con serios problemas durante su desarrollo. Las conductas repetitivas y restringidas se pueden caracterizar a través de movimientos físicos repetitivos, inflexibilidad a los cambios, repetir lo que escuchan y alto interés en un objeto específico.

Características de los niños autistas

El autismo infantil es un trastorno cognitivo que influye directamente tanto en la comunicación del niño autista, como en la relación con su entorno. El hecho de que un niño sea autista, no quiere decir que su capacidad de comprensión sea menor. De hecho, algunos niños autistas tienen habilidades y una capacidad cognitiva muy alta, dependiendo del tipo de autismo que se tenga. Dicho de otra forma, el coeficiente intelectual de un niño autista no tiene por qué ser menor. Lo que influye directamente es su capacidad para las relaciones sociales, y su capacidad de comunicación en general.

Sin embargo, de acuerdo con algunos estudiosos del tema, la realidad del TEA, es que la mayoría de la niñez autista presenta incapacidad intelectual de alguna forma. Los que tienen la capacidad intelectual alta son los que se llaman *Savant autism* [Síndrome del sabio o del *savant*], que básicamente es una habilidad extraordinaria en algunas áreas específicas como tocar el piano, o tienen capacidades especiales en las matemáticas. Contrario a lo que piensa la población en general, estos niños autistas con este tipo de habilidad son la minoría (1 de cada 10 autistas es considerado *Savant autism*).

¿Por qué un niño es autista?

Las causas por las que un niño padece de autismo son, hoy en día, todo un misterio. Diversos estudios indican que las relaciones del niño autista con su entorno más directo influyen directamente sobre la aparición de este trastorno. Y entre los factores de riesgo, se encuentran los siguientes:

1. Ambientales, tales como edad avanzada de los padres a la hora de la gestación, peso bajo al nacer y exposición del *feto a valproate* (una medicina anticonvulsionante).
2. Aspectos genéticos, pues el autismo se ha relacionado con una mutación genética.

Un niño autista, ¿puede curarse?

En la actualidad no existe cura para el autismo. Lo que sí se debe hacer, como padres, es recurrir al especialista o al pediatra, si detectamos que nuestro niño es autista o puede serlo, ya que, hoy en día, existen tratamientos y actividades para la niñez autista que pueden mejorar significativamente su comportamiento, favoreciendo con ello la independencia y las relaciones con el mundo.

Cada caso de autismo es particular y puede ser diferente, pero, por norma general, entre las características del autismo infantil, y primeros síntomas de los niños autistas que pueden darnos pistas sobre esta enfermedad, son los siguientes:

- ▶ No necesitan de consuelo en momentos en los que, por norma general, deberían necesitarlo.
- ▶ No son capaces de reconocer los sentimientos de los demás.
- ▶ No juegan con el resto de los niños, sino que se entretienen solo con sus objetos. Dificultad grave en la interacción social: no son capaces de hacer amistades.
- ▶ Incapacidad de comunicación. La comunicación verbal y no verbal están muy alteradas. Retraso importante en la adquisición del lenguaje.
- ▶ Las demás personas no existen en su mundo. Viven abstraídos y son muy independientes.
- ▶ Aislamiento respecto al entorno. No sonríen ni responden a su nombre cuando se les llama.
- ▶ Siempre prefieren estar solos. Nunca participan en juegos colectivos.
- ▶ Tienen movimientos estereotipados fuera de lo común. Les gusta alinear objetos o caminar de puntillas.
- ▶ Indiferencia hacia la afectividad de su propia familia. No empatizan con ningún miembro de la familia, padres, hermanos, abuelos, etc.
- ▶ No comparten intereses, ni objetos, ni juguetes, ni actividades.

► Ausencia de comportamientos no verbales. Por ejemplo, no miran a los ojos.

► No tienen conductas de imitación.

► Frecuentemente, tienen posturas corporales diferentes a los otros niños, tal vez extrañas.

► No presentan ni el interés ni la actividad propia de su edad. No saben jugar con los juguetes.

► No dan la mano cuando se les pide. No les interesa la atención de los demás niños ni de otras personas.

► No disfrutan cuando hacen algo; repiten una conducta muchas veces como un ritual sin sentido.

► Los rituales van aumentando. No soportan un cambio de un objeto en un mueble y gritan, no quieren que se les cambie de ropa o tienen que comer lo mismo todos los días antes de dormir. Es frecuente que golpeen muchas veces un objeto, que enciendan y apaguen la luz muchas veces, etc.

► No son capaces de jugar a algo realista y simbólico. Realizan un juego como un ritual, repitiendo y observando un objeto durante mucho tiempo.

► Muestran una gran indiferencia ante las emociones o sentimientos de los demás.

► No inician una conversación.

► Sus cerebros no logran integrar la información que les llega por los diferentes sentidos, por lo que la mayoría de las veces no comprenden lo que se les dice ni logran captar lo que piensan los demás.

► Se obsesionan con un solo detalle. Suelen repetir el final de una frase (ecolalia).

► La conducta se puede alterar mucho por detalles que a otros niños no les influyen (p. ej., un juguete rojo, un mechero, una linterna, etc.) y presentan un llanto excesivo con agitación, gritos, rabietas, etc.

Los rituales y las conductas extrañas en los niños autistas

Las conductas en forma de ritual y patrones inflexibles en sus movimientos suelen ser algunas de las señales que más llaman la atención del autismo. No solo son muy visibles, también consumen una gran cantidad de tiempo al que las realiza, siendo incomprensibles para las demás personas que conviven con ellos.

El caso más extremo en personas con autismo puede ser la autolesión, donde se infringen daños a sí mismos. Se debe vigilar atentamente este tipo de conductas, tanto para diferenciarlas entre sí, como para evitar que se vuelvan perjudiciales para el niño autista, controlándole o incentivándole por realizar otro tipo de actividades.

A su vez hay que incluir en las conductas de personas con autismo la obsesión por partes de objetos. La clásica manecilla de un reloj o un péndulo en una habitación repleta de objetos, pueden dejarles clavados en el asiento mirando el rítmico movimiento. Aunque no es grave, es otra conducta ritualista que se debe controlar. Las actividades motoras, consistentes en realizar movimientos repetitivos con su cuerpo, como manos o pies, se incluyen también junto a los demás rituales, dando forma a este cuadro tan extraño y particular en los niños autistas.

Todo el conjunto de comportamientos produce la sensación de extrañeza entre las personas a su alrededor, produciendo, además, rechazo y prejuicio cuando no se conoce al niño o aún no se han detectado y diagnosticado el autismo como causa de este tipo de conductas extrañas.

Es importante considerar, además, que la niñez autista podría presentar un cuadro comórbido. Esto significa que es común que el niño tenga otros diagnósticos adicionales al autismo, tales como: déficit de atención con hiperactividad, problemas de control de impulso, problemas gastrointestinales, y epilepsia.

CAPÍTULO 7

Síndrome de Down y otros casos

Síndrome de Down

El síndrome de Down es un conjunto de síntomas que se presentan juntos y son característicos de una enfermedad o de un cuadro patológico determinado, provocado, en ocasiones, por la concurrencia de más de una enfermedad. Solo un médico o un profesional de la salud puede tratar de establecer la fisiopatología del síndrome que aqueja al enfermo. Es una alteración congénita ligada a la triplicación total o parcial del cromosoma 21, que origina retraso mental y de crecimiento, y también produce determinadas anomalías físicas.

El síndrome de Down no tiene cura, pero un buen tratamiento educativo puede ayudarles a llegar al nivel más alto que son capaces de lograr. Pueden vivir años limitados, pero también son capaces de lograr larga vida. Es una anomalía en los cromosomas que ocurre en 1,3 veces en cada 1000 nacimientos. Por motivos que aún se desconocen, un error en el desarrollo del óvulo fecundado lleva a que se formen 47 cromosomas en lugar de los 46 que se desarrollan habitualmente. El material genético en exceso cambia levemente el desarrollo regular del cuerpo y del cerebro del bebé.

El síndrome de Down es uno de los defectos genéticos de nacimiento más comunes. Afecta a todas las razas, aún no existe cura para esta condición y tampoco es posible prevenirlo. Entre el 30 y el 50 % de los bebés con síndrome de Down tienen defectos cardíacos. Algunos de estos defectos son de poca importancia y pueden ser tratados con medicamentos, pero hay otros para los que se requiere cirugía. Todos los bebés con síndrome de Down deben ser examinados por un cardiólogo pediátrico, un médico que se especializa en las enfermedades del corazón de los niños, y ser sometidos a un ecocardiograma durante los 2 primeros meses de vida para determinar y permitir el tratamiento de cualquier defecto cardíaco que puedan tener.

Entre el 10 y el 12 % de los bebés con síndrome de Down nacen con malformaciones intestinales, que requieren ser corregidas quirúrgicamente. Más del 50 % de los niños con síndrome de Down nacen con alguna deficiencia visual o auditiva. Además, en ocasiones pueden tener deficiencias auditivas por causa de la presencia de líquido en el oído medio, de un defecto nervioso, o de ambas cosas. Es recomendable que estos niños se sometan a exámenes de visión y audición de forma regular, para permitir el tratamiento y evitar problemas en el desarrollo del habla y de otras destrezas.

Los niños con síndrome de Down presentan una gran variedad de personalidades, estilos de aprendizaje, niveles de inteligencia, apariencias, sentido del humor. Por otra parte, el síndrome de Down confiere a los niños una apariencia física particular que se manifiesta en los ojos, y también en las orejas que tienden a ser un poco más pequeñas y ligeramente dobladas en la parte superior. Suelen tener la boca y los labios pequeños, lo que hace que la lengua parezca grande. La nariz también puede ser pequeña y quizá un poco hundida. Algunos bebés con síndrome de Down tienen el cuello corto y las manos pequeñas con dedos cortos. En general, los niños con síndrome de Down son muy cariñosos y con una inteligencia emocional excepcional.

La historia de Nelly

Nelly era una niña especial en Guaynabo, Puerto Rico. Una bella y muy tierna criatura que nació con síndrome de Down. La conocí cuando era una niña, y vivió más de 50 años. Era muy querida por todos en la congregación. En sus primeros años casi no sabía hablar. En aquel tiempo, cuando la conocí y mi esposo era el pastor de la iglesia, no había en la comunidad, ni en la iglesia, programas de crecimiento emocional, intelectual ni espiritual para ella.

Mientras los niños de su edad iban a la escuela de la comunidad, el salón de clase de ella era en su casa. Sus padres, con muy poca educación, pero con la ayuda de toda la familia y la iglesia, lograron hacer de Nelly, una niña inmensamente feliz.

A los pocos meses de estar cerca de Nelly, me percaté que aquella hermosa criatura comenzó a aprender a hablar con rapidez y mucho entusiasmo. Descubrí que la metodología de enseñanza que practicábamos con ella era muy poderosa, pues estaba fundamentada en el amor que ella comenzó a recibir y a sentir de parte de la congregación. ¡Qué instrumento poderoso es el amor en el proceso educativo!

Nelly, que estaba señalada a ser una niña, una joven y una mujer aislada, y con sus destrezas motoras y sicológicas limitadas, logró no solamente hablar, sino que también aprendió a hacer cosas que no hacía previamente, como comer sola, vestirse, bañarse, jugar con el resto de la niñez que la incorporaba en las actividades de la iglesia. Al principio, mientras crecía, se esforzaba en mover con agilidad un lápiz o una crayola, hasta convertirse en modelo para la niñez que venía detrás de ella. Se movía con los adultos con gracia y respeto. Descubrió en la iglesia, especialmente en el ambiente de las escuelas dominicales a las cuales siempre asistía con su madre, a amar a Jesús. Ella decía que amaba al Señor, pues él la amaba y quería que ella fuera «buena contigo, con mami y con todos». En ese ambiente de iglesia y celebración en comunidad, logró entender la necesidad de abrazar y la importancia de besar.

Con el tiempo me enteré que Nelly murió a los pocos meses de morir su padre. Su mamá se separó de ella en los últimos años de su vida debido al Alzheimer. Luego de esa experiencia de separación con su madre, desarrolló una dependencia muy fuerte con su papá, que luego de él morir, nada la hacía sonreír. Solo deseaba irse con el Señor Jesús y con su papá. Le preguntaban, ¿por qué? Y ella respondía: «¡Porque los amo!».

Otros casos singulares: Sordera

La sordera es un tipo de dificultad en los procesos auditivos, que puede ser permanente o fluctuante. Se puede definir como un impedimento en la audición tan severo, que impide el procesamiento de información lingüística por vía auditiva, con o sin amplificación, que afecta adversamente el rendimiento académico de la niñez. Por lo tanto, puede ser vista como una condición que evita que un individuo reciba sonido en todas o casi todas sus formas. En contraste, un niño con pérdida de la capacidad auditiva generalmente puede responder a ciertos estímulos auditivos, incluyendo el lenguaje.

Cada año nacen en Estados Unidos unos 24 000 niños con dificultades de audición. Es por esa razón, que muchos países requieren que los hospitales sometan a los bebés recién nacidos a un examen para detectar la posible pérdida de audición. Este examen no causa dolor, y solo tarda unos minutos. La pérdida de la capacidad auditiva y la sordera no siempre ocurren al nacer. Pueden afectar a individuos de todas las edades y pueden ocurrir en cualquier momento desde la infancia hasta la vejez. La pérdida puede ocurrir debido a factores genéticos, enfermedades o traumas.

El Departamento de Educación de Estados Unidos informa que, anualmente más de 75 000 alumnos de 6 a 21 años, reciben servicios de educación especial bajo la categoría de «impedimento auditivo». Sin embargo, el número de niños con pérdida de la capacidad auditiva y sordera es sin duda mayor, ya que muchos de estos alumnos además pueden tener otras discapacidades y pueden recibir servicios bajo otras categorías.

Los maestros que han sido capacitados para tener en sus clases a niños con dificultades auditivas, necesitan conocer cuál es el nivel de sordera y despejar otras interrogantes importantes para iniciar la metodología educativa adecuada. Cuando los programas de educación cristiana de la iglesia tienen casos de niños o niñas con esta condición, es muy importante acercarse a los padres. Una buena conversación del maestro o maestra con la madre, el padre o la persona encargada de esa criatura, permitirá la preparación de un programa educativo adecuado.

Ese diálogo puede iniciar con las siguientes preguntas:

- ► ¿El niño presenta una sordera superficial, media, profunda o total?
- ► En el caso de que utilice una prótesis auditiva, es necesario saber, ¿qué tanta utilidad le ofrece de acuerdo con su sordera?
- ► Si se le ha colocado un implante, ¿qué nivel de audición presenta con esta operación? ¿Cada cuánto tiempo es preciso reemplazar las baterías?

► ¿Cuánto tiempo utiliza los aparatos auditivos? Mientras más tiempo lleve con ellos, mejor será su capacidad de comunicación.

Los padres con niños sordos generalmente aprenden el lenguaje de señas para educar a sus hijos con las herramientas necesarias. Si los maestros no conocen el lenguaje de señas, es importante que uno de los padres o un familiar que conozca el lenguaje, acompañe al niño en la clase. Sin embargo, el primer paso a dar en el caso de un niño con esta condición en el salón es el de asumir el reto con dignidad, responsabilidad y amor.

La siguiente recomendación es importante: Enseñe en el lenguaje español o inglés (el idioma que mejor maneje), así tendrá mayor posibilidad de comunicarse cuando interactúe con la niñez oyente. El desarrollo intelectual de un niño con sordera llega a ser tan alto como en el caso de un niño oyente. Solo necesita aprender el idioma que se habla en la casa y perseverar hasta manejarlo con naturalidad. Se debe permanecer cerca del niño con el impedimento para orientarlo en sus tareas diarias. Su progreso depende en parte de los padres y los profesores, pero también del apoyo cordial de los maestros de las escuelas bíblicas.

Sordomudo

Sordomudo es un término que designa a aquellas personas que son sordas de nacimiento y que por ello padecen grandes dificultades para hablar mediante la voz. Sin embargo, existen asociaciones de personas sordas que consideran que el término sordomudo es peyorativo e incorrecto, además de que puede resultar molesto y ofensivo, debido a que la discapacidad auditiva no está necesariamente asociada a trastorno alguno que limite físicamente a una persona de la facultad de hablar. Tradicionalmente se pensaba que las personas sordas eran incapaces de comunicarse con los demás, no obstante, esto no es correcto, ya que pueden hacerlo a través del lenguaje de signos y de la comunicación oral, tanto en su modalidad escrita como hablada.

Niños con hiperactividad

La hiperactividad en la niñez, de acuerdo con los especialistas en este campo, se manifiesta generalmente en los contextos educativos con alumnos que dificultan los procesos de enseñanza y aprendizaje, y que, en gran número de ocasiones, se ven abocados no solo al fracaso escolar sino también a un rechazo, tanto por parte de profesores como de sus propios compañeros.

Ahora que tomamos y afirmamos el tema de la educación inclusiva, parece importante plantearnos lo siguiente: De qué manera se puede intervenir para facilitar la integración de estos alumnos, máxime cuando algunas investigaciones recientes señalan que para que dicha intervención sea eficaz, debe llevarse a efecto en los contextos en los que tendrán que ejecutarse los comportamientos deseados.

Por esas y otras razones importantes, se hace necesario que los líderes educativos de escuelas bíblicas y de programas para niños y niñas, se relacionen y conozcan esta condición y sus repercusiones intelectuales, sociales y espirituales. Es necesario tener conocimiento sobre la condición de esta población, para lograr el acercamiento adecuado que ayude al profesor o profesora a entender y comprender mejor al alumnado afectado por dicho trastorno, así como a llevar a efecto intervenciones que faciliten su inclusión en la dinámica del aula.

Uno de los trastornos que más perturban la marcha escolar es, en la actualidad, la hiperactividad. Este trastorno no solamente presenta un componente de comportamiento que incide en la dinámica del aula, sino que también tiene consecuencias para alcanzar con éxito los aprendizajes escolares. Por esa razón, en ocasiones, nos encontramos con que un número de alumnos hiperactivos suelen fracasar al tratar de lograr el aprendizaje deseado, debido a los trastornos de atención, impulsividad y desorden sicomotor, que suelen acompañar a esta condición.

Se puede decir que han existido distintas definiciones de hiperactividad, pero todas ellas coinciden en considerarla como una forma de conducta desorganizada, y en ocasiones caótica, cuyas características principales son: Inquietud, impulsividad y falta de atención a un nivel impropio para la edad del niño.

Es muy común el hecho de que el maestro, cuando se encuentra con este tipo de alumnos en sus salones de clase, en ocasiones, no es capaz de contener los sentimientos desbordados (p. ej., agresividad o impulsividad) que dicho alumno presenta, y le resulta difícil situarse en ese espacio emocional que debe establecerse entre maestro y alumno, para ayudar a conseguir un ambiente idóneo en el que se desarrollen los procesos de enseñanza y aprendizaje.

La verdad es que los maestros en el contexto eclesiástico no necesariamente están preparados para atender efectivamente esta situación y a este tipo de estudiante. Tienen que ser muy creativos, y depender del amor y el poder misericordioso de Dios, para lograr el control de esta conducta perturbadora, que el niño hiperactivo puede presentar.

Por lo tanto, es necesario que el maestro entienda dicha conducta y que el alumno capte que los maestros comprenden sus desafíos y dificultades. En este sentido, es importante que conozcan cómo se manifiesta la hiperactividad en las distintas etapas. Cuando los maestros tienen en sus salones de clase a estos niños, es necesario que se relacionen con el pastor y los padres de esta criatura, para organizar un programa diferente en el salón de clases que beneficie a todos los estudiantes. Ellos también son «ángeles que brillan» con los cuales el Señor desea fortalecer la fe y el crecimiento espiritual, tanto del maestro como del estudiante.

CAPÍTULO 8

Las iglesias y los «ángeles que brillan»

Consideraciones importantes

La mayoría de los creyentes hemos tenido la experiencia de haber sido educados por diferentes tipos de maestros. Podemos identificarlos como profesores excelentes, regulares o menos buenos. Muchos de aquellos profesores excelentes fueron tan extraordinarios que dejaron en nosotros huellas muy profundas, que todavía siguen dando luz a nuestra existencia. Otros, el tiempo se encargó de borrarlos de nuestras memorias.

Los buenos maestros nacen y se hacen. Hay gente que nace con mucho talento y capacidades en algún área de la vida. ¡Y eso es bueno! Pero la verdad es que, si no estudia, no se prepara, y no practica y vive nuevas posibilidades de crecimiento, no logrará perfeccionar lo que sabe.

Eso precisamente es lo que deseamos que la iglesia del Señor logre con su ministerio educativo. Que prepare a sus maestros en los mejores seminarios e instituciones educativas, para que logren enseñar, tocar y transformar, por medio de la buena y justa enseñanza a la niñez, que es parte del cuerpo de Cristo. Especialmente a esos niños que desafían nuestras emociones y nuestro intelecto a la hora de educar. Con el conocimiento correcto de cómo llegar al corazón y los niveles de aprendizaje de estos «pequeños ángeles de Dios», se lograrán grandes e importantes transformaciones.

Una parte en el proceso educativo le pertenece a Dios, y debemos permitir que el Espíritu haga su labor. Sin embargo, hay otra parte que le pertenece al maestro, la maestra y la iglesia. Los niños y las niñas como Nelly requieren un acercamiento educativo diferente y especializado, en comparación al resto de la niñez que enseñamos. Son criaturas de Dios que pertenecen al grupo que identificó Jesús en Mateo: «Llevaron unos niños a Jesús para que les impusiera las manos y orara por ellos, pero los discípulos reprendían a quienes los llevaban. Jesús dijo: "Dejen que los niños vengan a mí, y no se lo impidan, porque el reino de los cielos es de quienes son como ellos". Después de poner las manos sobre ellos, se fue de allí» (Mt 19.13-15, NVI).

No podemos ignorar que son muy pocos los maestros que tienen preparación teológica formal y sirven en su iglesia local. También podemos afirmar que son pocos los educadores que reciben en sus salones de clases a niños con necesidades especiales que están preparados para atenderlos.

Reconociendo esa situación, nos preguntamos: ¿Cómo enseñará si no tiene las herramientas, el ambiente y los conocimientos básicos para hacerlo? No importa el nivel que estemos enseñando, creo que todo tipo de instrucción amerita una preparación previa por parte del maestro, y precisamente para educar en contextos cristianos (p. ej., iglesias, escuelas y seminarios teológicos), necesitamos que nuestros maestros estén preparados en aquellas áreas fundamentales para enriquecer su práctica como docente.

Tomando en consideración estas realidades que viven nuestras congregaciones, es muy importante tener visión, presupuesto y buena voluntad para desarrollar proyectos innovadores que respondan a las necesidades de las comunidades donde la iglesia del Señor sirve. Es necesario que nuestros maestros tengan la posibilidad de ser formados integral y profesionalmente.

No me puedo imaginar a un médico ingresando al quirófano sin que haya estudiado cirugía, de la misma manera en ambientes cristianos, un maestro que no se encuentre capacitado para enseñar, sencillamente no debe enseñar. El apóstol Pablo le advierte a Timoteo la importancia de estar bien preparado en la Palabra y tener conocimiento: «Esfuérzate por presentare a Dios aprobado, como obrero que no tiene de qué avergonzarse y que interpreta rectamente la palabra de verdad» (2 Ti 2.15, NVI).

Posiblemente, un gran número de los maestros de educación cristiana que leen esta obra no tienen preparación teológica y bíblica para ejercer el ministerio de enseñanza en las congregaciones. Sin embargo, están convencidos de que Dios los llamó a ejercer este trabajo, y eso es lo más importante. ¡Y esa convicción espiritual y vocacional es necesaria, buena y poderosa! No hay duda: El que los llamó, también los equipó y le dio las destrezas necesarias para enseñar.

En todos los tiempos ha habido maestros de escuelas bíblicas que jamás pisaron un seminario, ni tampoco se acercaron a las universidades de sus pueblos, sin embargo, llegaron a ser muy buenos maestros. Eso es digno de celebrar y afirmar. Dios equipa con talentos especiales a estos maestros, pero es necesario perfeccionar esos talentos.

Las Sagradas Escrituras nos invitan a mejorar y multiplicar esas bendiciones que nos ha dado el Señor para poder bendecir a otros. El apóstol Pablo y el mismo Jesús afirman constantemente en el texto sagrado que la preparación para el ministerio educativo es muy importante: «Pero tú permanece firme en lo que has aprendido y de lo cual estás convencido, pues sabes de quiénes lo aprendiste. Desde tu niñez conoces las Sagradas Escrituras, que pueden darte la sabiduría necesaria para la salvación mediante la fe en Cristo Jesús. Toda la Escritura es inspirada por Dios y útil para enseñar, para reprender, para corregir y para instruir en la justicia, a fin de que el siervo de Dios esté enteramente capacitado para toda buena obra» (2 Ti 3.14-17, NVI).

Ser parte del trabajo de la iglesia conlleva una gran responsabilidad. Para servir y ser buenos constructores del reino de Dios, hay que trabajar y estudiar para adquirir el mayor conocimiento posible. Además, hay que estar dispuestos a ofrecer lo mejor de nuestros talentos con excelencia. Si deseamos desarrollar una niñez saludable, estable y funcional, que sea capaz de vivir en la sociedad contemporánea con dignidad, con la ayuda de Dios y el uso de los recursos especializados que tenemos a disposición, lo lograremos.

El amor de Jesús es de todos y para todos

Reflexionar un poco sobre cómo abrir espacios y caminos a las personas con diversidad funcional para que puedan alcanzar una vida en plenitud, me llena de esperanza. Me regocija saber que grandes teólogos y teólogas, como la doctora Nohemí C. Pagán, se interesen en estudiar cómo la iglesia puede aportar a la vida de las personas con necesidades especiales.

Al ser madre de un adolescente que tiene síndrome de Down, he sido testigo de experiencias inclusivas, y también de dinámicas de rechazo hacia mi hijo, una persona que es diferente. ¿Diferente? ¡Es que todos somos diferentes! Y no solo es diferente por sus retos de aprendizaje, sino que su rostro refleja inequívocamente características de su sobredosis cromosómica.

La diversidad es parte de la vida diaria. La pluralidad de culturas, la convivencia con todo tipo de persona en el ambiente laboral, en la comunidad y en la iglesia pone claramente de manifiesto la gran oportunidad que tenemos de abrazar las diferencias con nuevos ojos. Y como hijas e hijos de Dios, el llamado es a tener una mirada con ojos de amor y de ternura. Para que, a través de esa mirada la iglesia siga construyendo el reino de Jesús, no solo para ricos, teólogos, médicos, abogados, ingenieros y maestros, sino también para los pobres de la tierra.

¿Y quiénes son los pobres de la tierra hoy? Los desvalidos, y todas las personas que tienen necesidades especiales, entre otras condiciones o situaciones. Porque el reino es también para ellos.

Hoy es muy natural que las personas con necesidades especiales también lleguen a la iglesia. Es que la iglesia es un reflejo de la sociedad. Allí encontramos a los que tienen hambre y sed de justicia. Los que quieren que se les valore por lo que son y no por su condición. Los que desean que se respete sus derechos. Los que tienen síndrome de Down, los que tienen autismo, espina bífida, los que tienen dificultad para caminar, los invidentes, los que tienen trastornos de déficit de atención, y muchos más.

Llegan a las diferentes congregaciones y servicios religiosos para celebrar la vida en Cristo Jesús. Están para aprender de Abraham y Moisés, de Josué y Caleb, de David y Jonatán, de Rut y Noemí; y de Samuel, de Job, de Jeremías, de Isaías. Llegan para amar a Jesús y para conocer su ministerio, para conocer los milagros que hizo. Llegan a la iglesia para enriquecer su vida espiritual.

¿Y cómo la iglesia puede aportar y contribuir para que estas personas sientan y vivan que el reino de Dios es de todos y para todos?

Basada en mi experiencia como madre de Omar Alexandre, comparto tres puntos importantes que la iglesia puede utilizar para que, las personas como mi hijo o con otras necesidades especiales, puedan disfrutar de la experiencia cristiana.

El amor

El amor es la base de todo. El amor a Dios que se manifiesta en hacer el bien al otro, o a la otra. El amor al prójimo es el fundamento para mirar con ojos nuevos de aceptación a la diversidad. Un amor a Dios que se evidencia en cada acción a favor de las personas con necesidades especiales. Ese amor provoca estudiar y prepararse para conocer cómo trabajan, qué les motiva y cómo capitalizamos en sus fortalezas para lograr una experiencia espiritual saludable. Es el amor que te mueve a la acción. El amor que te invita a a conocer para servir mejor.

Sin duda, la iglesia necesita solicitar a los expertos que les ilustren, que compartan conocimientos básicos que les ayuden en el proceso de enriquecer la vida espiritual de los de capacidades diversas. Estas personas también son parte del reino. Lee acerca de la condición que tienen los estudiantes. Pregunta a su familia qué les ayuda. Cómo se puede trabajar mejor con esta niñez capaz de aprender y colaborar. Demuestra que los amas y que te interesas por esta población que es parte de la creación de Dios. Solicita que hablen de lo que significa esa condición. Infórmate, sé empático y demuestra que los amas.

La inclusión

El amor de Jesús es de todos y para todos. Por lo tanto, incluir a las personas con necesidades especiales en todos los ambientes de la experiencia cristiana es medular. Es decir, en las clases bíblicas, en la adoración, en la participación activa del culto a Dios, en la visitación, en los proyectos de la iglesia. En fin, esa persona es un integrante más de esa comunidad de fe. Y como tal, su dignidad y respeto deben siempre observarse.

Para mí, la inclusión es mucho más que incorporar a ese niño, niña, joven o adulto en cada actividad o evento. Es proveer, en efecto, las adaptaciones y estrategias necesarias para que pueda aprender, ejecutar y disfrutar ese servicio a Dios. Por ejemplo, es:

▶ Moderar el volumen de la música y los micrófonos para evitar lastimar o incomodar su sistema auditivo.

▶ Presentar el escrito bíblico utilizando letra agrandada y ennegrecida.

▶ Hacer uso de muchas imágenes, videos y actuación en la comunicación del evangelio y sus enseñanzas.

▶ Pedir que dirija un culto o actividad en la congregación, asistido por su maestro o maestra de escuela bíblica.

▶ Invitar y permitir que haga una oración en el culto.

▶ Integrar a la persona con necesidades especiales en las actividades de la iglesia, con todas las ayudas necesarias para disfrutar cada experiencia. Su memoria visual es una de sus mayores fortalezas.

▶ Incorporar estrategias multisensoriales para que reciba el conocimiento necesario. Esa persona es una más que tiene sueños, que goza de espiritualidad y que se siente útil y valorada cuando participa activamente en los proyectos de la iglesia como lo hacen los demás.

La educación cristiana

Si bien es cierto que los líderes deben capacitarse para aprender a capitalizar en las fortalezas de las personas con necesidades especiales, hay que educar también a la iglesia. Estas personas con diversidad funcional tienen el derecho a estar allí. Tienen el derecho a cultivar su espiritualidad en compañía de la comunidad de fe. Tienen derecho a ser valoradas y respetadas. Tienen derecho a una vida digna recibiendo el apoyo de sus hermanos y hermanas en la fe. Un apoyo dirigido a mejorar su calidad de vida y ejercitar su independencia.

Además, se debe respetar sus gustos y preferencias hasta modelar las conductas aceptables en la sociedad y en la iglesia, para que sea un individuo de bien. Y para que esa dinámica ocurra, hay que educar a los hermanos sobre cómo enriquecer la vida de una persona con necesidades especiales.

Dedica unos minutos del culto para hablar de lo que podemos aprender de ellos. Integra en el sermón algunas estrategias que les ayuden. Exhorta a los hermanos a incluirlos, aceptarlos, cuidarlos. Demuestra tu amor enseñando a la iglesia que las personas con necesidades especiales son importantes para Dios. Que tenemos una gran responsabilidad de contribuir a que tengan una vida digna.

Si observamos algunas de las ideas antes expuestas, estoy segura de que estaremos construyendo vidas llenas del amor Dios. Estaremos construyendo seres humanos con propósitos, felices y plenos. Porque nuestro ministerio consiste en anunciar las buenas noticias del amor de Jesús que es de todos y para todos. Ese para todos no excluye, pero sí incluye. Ese para todos significa ver a Dios en el rostro de estas personas con diversidad funcional. Significa que me educo y preparo para ayudarles a construir, junto a su familia, a la escuela, a la sociedad, un mejor porvenir.

Entonces, «El Rey les responderá: "Les aseguro que todo lo que hicieron por uno de mis hermanos, aun por el más pequeño, lo hicieron por mí". Luego dirá a los que estén a su izquierda: "Apártense de mí, malditos, al fuego eterno preparado para el diablo y sus ángeles.

Porque tuve hambre, y ustedes no me dieron nada de comer; tuve sed, y no me dieron nada de beber; fui forastero, y no me dieron alojamiento; necesité ropa, y no me vistieron; estuve enfermo y en la cárcel, y no me atendieron". Ellos también le contestarán: "Señor, ¿cuándo te vimos hambriento o sediento, o como forastero, o necesitado de ropa, o enfermo, o en la cárcel, y no te ayudamos?". Él les responderá: "Les aseguro que todo lo que no hicieron por el más pequeño de mis hermanos, tampoco lo hicieron por mí". Aquellos irán al castigo eterno, y los justos a la vida eterna» (Mateo 25.40-46, NVI).

En la sección final de este capítulo participó de forma muy elocuente mi buena amiga, Dámaris Santiago.

CAPÍTULO 9

Lección bíblica para niños con síndrome de Down

Datos importantes que todos deben conocer

Esta clase bíblica fue escrita por la señora Dámaris Santiago Lebrón, y editada posteriormente por la autora del libro. Como escritora de esta obra, considero muy importante y necesario incluir en este trabajo la presencia de una madre que tiene un niño con síndrome de Down. ¡Qué mejor que incluir a una persona conocida y a una gran amiga!

Conozco a Dámaris por muchos años. Su trayectoria profesional y su dedicación durante varios años significativos con su hijo, Omar, la colocan como el mejor ser humano para participar en este esfuerzo de «educación cristiana transformadora para la niñez con necesidades especiales». Ella, además de tener estudios teológicos y ser una mujer fiel a su iglesia por muchos años, es conocedora del tema y una servidora apasionada con estos «ángeles que brillan».

En esta lección ella escribe pensando en su hijo Omar Alexandre, y en todas las personas que son como él. Toma muy en serio sus conocimientos y su práctica diaria, pues desea dignificar a esta importante población. Además, nos hemos unido para soñar y hacer realidad un proyecto que, con la ayuda del cuerpo de Cristo, prepare a la niñez con necesidades especiales a ser funcionales en todos los sectores de la sociedad.

Breves palabras de la madre de Omar

Escribo esta lección para mi hijo Omar Alexandre Félix Santiago imaginando que tiene cuatro 4 o 5 años. Omar es un niño muy especial. Es muy amado por sus padres, por su hermano, por toda la familia, por la comunidad de fe, y por sus amigos y amigas. Disfruta jugar con sus primos, aprender a tocar el violín, escuchar música, ir a la iglesia, y ver películas. Omar Alexandre tiene trisomía 21, tiene síndrome de Down.

Las personas con síndrome de Down son extraordinarias por su capacidad de tener un alma limpia, libre de rencores y prejuicios, por el amor abundante que regalan. Olvidan con facilidad los atropellos y las ofensas, porque tienen una capacidad superior para amar y perdonar. Muchos de ellos disfrutan ayudar a otras personas y se sienten útiles sabiendo que pueden contribuir en esta sociedad. La iglesia no es la excepción.

La sobredosis cromosómica que tiene su cuerpo (47 cromosomas), debido a su trisomía 21 (tiene tres cromosomas en el par 21), les presenta otros retos. En su salud, pueden tener predisposición mayor a ciertas condiciones que otras personas típicas. Por ejemplo, cardiopatías, problemas gastrointestinales, tiroides, constipaciones, etc. Sus características físicas son similares en algunos, con la distinción que hace la genética individual de cada familia. Esa genética está ahí y no desaparece. Su desarrollo es más lento comparado con el de otras personas. Alcanzar una meta les cuesta muchísimo más que a otros. Para aprender algún concepto o destreza, hay que esforzarse un poco más que lo normal.

En ese proceso de enseñanza-aprendizaje los recursos multisensoriales juegan un papel medular. Al impartir cualquier concepto nuevo, lección bíblica o enseñanza, es importante capitalizar en su memoria visual que sobrepasa la memoria auditiva. Es imprescindible identificar cómo se combinan los recursos multisensoriales para que la experiencia sea efectiva y provechosa. Integrarlo al grupo donde está es muy saludable. Ellos tienen derecho a estar, tienen derecho a participar. Cuando así ocurre, todos aprenden, porque es un proceso multidireccional. Se aprende mientras se les enseña. Porque también las personas con síndrome de Down nos enseñan a ser mejores seres humanos.

A las personas con síndrome de Down, les ayuda el modelaje de lo que se desea enseñar. Buscar alguna persona de la misma edad que pueda brindar la información o modelar el concepto es genial. Además, conocer a esa persona es esencial. Se requiere mantener la individualidad de lo que es, de dónde viene, sus gustos y preferencias, lo que lo motiva, y con esos detalles incorporarlos en la lección. Esos pequeños elementos marcarán la diferencia y despertará el interés para seguir amando a Dios y a la iglesia.

Por eso, cuando escribí la lección lo hice basada en mi experiencia como madre de una persona que tiene síndrome de Down y dirigida a mi hijo. Pensé en las distintas capacidades que tiene Omar Alexandre, en sus fortalezas y los retos de procesamiento sensorial que exhibe, entre otras cosas. Al acercarme al texto bíblico, entendí que el proceso de transferir ese conocimiento tiene que ser sencillo y pertinente. Las estrategias tienen que incorporarse para asegurar que disfruta, comprende y aprende lo que deseamos enseñar.

Permita Dios que esta lección, con las adaptaciones necesarias y las estrategias implementadas, sea parte de las acciones afirmativas que la iglesia del siglo XXI abraza para abrir espacios y enriquecer la vida espiritual de las personas con diversidad funcional. Así nos ayude Dios.

Lección Bíblica: ¡Todos queremos ir!

Parábola «El gran banquete», para niñez con síndrome de Down.

Introducción

Por medio de esta historia, Jesús nos recuerda que él es amigo de todas las personas. De grandes y chicos, y de los que tienen dinero y de los que no tienen, de los blancos y los de color. Él quiere tener cerca a los niños que pueden caminar con sus pies y a los que se mueven en sillas de ruedas. Para él son importantes los que tienen los ojos grandes y los que los tienen pequeños, y los que pueden ver y los que no pueden. Los que usan espejuelos, los que hablan con las manos, los que escuchan con las pequeñas maquinitas en los oídos.

No te imaginas cuánto ama y desea hablar el Señor con la niñez que le gusta moverse rápido, porque su mismo cuerpo le pide que se mueva. Todos, todos estamos invitados a estar cerca de Jesús, y de comer con él en la mesa. Nos invita a estar a su lado para ayudarnos y hacernos bien. Por lo tanto, tú también puedes ir al lado de Jesús para recibir alegría, y para recibir su amor.

Bosquejo de la lección

Debe tomar en consideración el tiempo que va a utilizar para la lección de acuerdo a los niños que tiene con necesidades especiales. El siguiente modelo identifica la presencia de un estudiante con síndrome de Down.

1. Preparación del ambiente o salón: 15 minutos (antes de recibir a los estudiantes).
2. Introducción: 4 minutos.
3. Objetivo.
4. Texto bíblico: 2 minutos.
5. Para repetir: 1 minuto.
6. Propósito.
7. Materiales y estrategias multisensoriales.
8. Análisis del texto: 4 minutos.
9. Recomendaciones educativas.
10. Clase bíblica: 7 minutos.
11. Aplicación: 2 minutos.
12. Oración: 30 segundos.
13. Actividades para reforzar la enseñanza (p. ej. colorear): Tiempo disponible.

Objetivo

Demostrar que Dios nos invita a todas las personas a estar a su lado para recibir su bienestar. Esto incluye a la niñez que tiene necesidades especiales, pues ante Dios todos somos iguales. Por eso, es importante que todos los niños y niñas repitan con el maestro, «yo también puedo ir a encontrarme con Jesús».

Texto bíblico

Parábola del gran banquete:

> «Al oír esto, uno de los que estaban sentados a la mesa con Jesús le dijo:
> —¡Dichoso el que coma en el banquete del reino de Dios!
> Jesús le contestó:

—Cierto hombre preparó un gran banquete e invitó a muchas personas. A la hora del banquete mandó a su siervo a decirles a los invitados: "Vengan, porque ya todo está listo". Pero todos, sin excepción, comenzaron a disculparse. El primero le dijo: "Acabo de comprar un terreno y tengo que ir a verlo. Te ruego que me disculpes". Otro adujo: "Acabo de comprar cinco yuntas de bueyes, y voy a probarlas. Te ruego que me disculpes". Otro alegó: "Acabo de casarme y por eso no puedo ir". El siervo regresó y le informó de esto a su señor. Entonces el dueño de la casa se enojó y le mandó a su siervo: "Sal de prisa por las plazas y los callejones del pueblo, y trae acá a los pobres, a los inválidos, a los cojos y a los ciegos". "Señor —le dijo luego el siervo—, ya hice lo que usted me mandó, pero todavía hay lugar". Entonces el señor le respondió: "Ve por los caminos y las veredas, y oblígalos a entrar para que se llene mi casa. Les digo que ninguno de aquellos invitados disfrutará de mi banquete"» (Lucas 14.15-24, NVI).

Para repetir

«Yo también puedo ir a encontrarme con Jesús».

Propósito

Comparta con los niños que es hermoso estar en la casa de Dios, alrededor de la mesa. Produce mucha alegría el poder encontrarnos todos en este lugar, luego de aceptar la invitación para llegar a tan importante reunión. Es necesario que el grupo entienda, hasta donde sea posible, especialmente la niñez con necesidades especiales, que hoy han sido invitados a una «gran cena o gran banquete».

Materiales y estrategias multisensoriales

Considere los siguientes materiales y estrategias para presentar el relato:

1. Ayudas de gusto
   a. Mesa con sillas alrededor simulando la gran cena. Considere llevar a cabo la clase alrededor de la mesa. Pida a algunos niños que vayan a otra clase a invitar a otros que vengan a la mesa.
   b. Incluya algunas frutas, galletas, quesos, agua, jugos que pueda compartir con los estudiantes.
   c. Platos, cubiertos y servilletas desechables.
2. Ayudas visuales
   a. Láminas claras, no borrosas. En la medida que sea posible consiga láminas de la gran cena, de Jesús, de los tres hombres que dijeron que no podían ir a la cena. Láminas de niños y niñas con diversas necesidades especiales, personas en silla de ruedas. Incluya el nombre de Jesús en la lámina de Jesús. Ese nombre debe ser con letra si es posible (*Comic Sans*) o alguna otra que tenga contornos bien definidos y sea letra bien oscura. La letra de los nombres debe ser agrandada.
   b. Personaje vestido de Jesús para que en el cierre de la lección les recuerde a los estudiantes que su amor sobrepasa las fronteras y las necesidades especiales. Que les reitere que ellos también están invitados a estar al lado de Jesús.
3. Ayuda visual y audible
   a. Videos para niños de la historia de la gran cena. Recuerde que el volumen debe ser moderado porque podría incomodar a algunos de los estudiantes con retos de integración sensorial.

b. Proyector o en una computadora con pantalla grande.
4. Ayuda auditiva.
   a. Al narrar la historia, varíe la entonación, utilice partes narradas con otra voz o cambie la voz dependiendo de quien se mencione. Por ejemplo, cuando habla de los hombres que rechazaron la invitación, del hombre que tenía la cena, de Jesús, etc. Recuerde que el volumen debe ser moderado para evitar incomodidad por un volumen alto.
5. Ayuda de tacto
   a. Láminas para colorear. Estas pueden ser relacionadas con los personajes principales y a la gran cena.

Análisis del texto bíblico

Me gustaría saber, ¿a dónde los han invitado? ¿A una fiesta de cumpleaños? ¿Al parque? ¿Sabes qué? Jesús cuenta que un día, un hombre invitó a sus amigos a su casa para una gran cena. Cuando fueron a preguntarles, uno dijo que no podía ir porque tenía que ver un terreno que había comprado. El otro dijo que no podía ir porque había comprado unos bueyes. Otro dijo que no podía ir porque se había casado.

Entonces el hombre dijo: «Invita también a los pobres, a los que no pueden ver, a los que no pueden caminar». Esas personas sí llegaron a la cena y todavía había espacio. Así que fueron por los caminos y llevaron a todas las personas que encontraron para que se llenara la casa.

Hoy Jesús nos recuerda que es nuestro fiel y verdadero amigo. No importa la edad, el idioma que hablemos, si somos ricos o pobres, altos y bajos, blancos y morenos, si caminamos o usamos sillón de ruedas… todos somos del Señor.

Especialmente, el Señor desea tener cerca a los niños y a las niñas con necesidades especiales. Las criaturas que tienen los ojos grandes y los que los tienen pequeños, los que pueden ver y los que no pueden también son muy importantes para el Señor. Los que usan espejuelos, los que hablan con las manos, los que escuchan con las pequeñas maquinitas en los oídos. No te imaginas cuánto ama y desea hablar con la niñez que le gusta moverse rápido porque su mismo cuerpo le pide que se mueva. Hoy estamos invitados a estar cerca de Jesús, pues quiere comer en la mesa muy cerquita de todos. Él desea ayudarnos y hacernos bien. Por eso y muchas otras razones todos podemos ir al lado de Jesús, pues anhela que la niñez reciba alegría y sea cubierta de amor.

La mesa está puesta. Está llena de alimentos sabrosos. Y alrededor de la mesa estaremos todos con Jesús. Él nos invita. Y todos nosotros queremos ir. Porque para Jesús todos somos invitados. Toda la niñez de la tierra es importante para el Señor.

Dios no se fija dónde nacimos, ni cómo somos, si podemos hablar o si hablamos con dificultad. Porque para Dios todos tenemos talentos. Todos tenemos derecho de aprender y ser felices. Por eso «yo también puedo estar con Jesús», el amigo de todos. ¡Nuestro amigo!

Recomendaciones educativas, para verificar comprensión

1. ¿Quién invita a la cena hoy? (Jesús invita)
2. ¿Quiénes están invitados a la cena con Jesús? (Todos estamos invitados)
3. ¿Puedes ir a la cena con Jesús? (Sí, yo también puedo ir)
4. ¿Por qué Jesús invita a todos los niños y niñas? (Porque todos somos iguales ante Dios)

Aplicación

Recuerden que Jesús nos invitó para la gran cena. En su cena, lo más sabroso, y lo que todos desean, es estar a su lado. Al estar a su lado sentiremos que estamos protegidos y amados. Cerca de nosotros él nos hará mucho bien y nosotros también aprenderemos a hacer el bien a los que están a nuestro lado. Jesús te invita a estar con él. Tú también puedes ir. Yo también puedo ir. Porque él recibe a todas las personas. A los que tienen síndrome de Down, a los que tienen autismo, a los que están en silla de ruedas. A los que tienen dinero, a los pobres, a los que vienen de tierras lejanas, a los que hablan otros idiomas. Es decir, a todos, porque ante Dios, todos somos iguales.

Este cierre de la lección puede hacerlo con una persona vestida de Jesús recordándole a los niños que Jesús los recibe a todos, y que todos pueden ir a estar con Jesús, porque somos iguales ante él. No importa si tienes síndrome de Down, si tienes autismo, si no puedes caminar… Yo también puedo ir a los brazos de Jesús.

Oración

(Ahí en la mesa pida que se tomen de las manos y repitan esta oración).

«Señor Jesús, te damos gracias por la invitación a estar cerca de ti para recibir tus abrazos y tu amor. Gracias porque yo también puedo ir a la gran cena que has preparado para todos los que te aman. Mis amiguitos y mis amiguitas también queremos ir a tu cena, porque tú nos quieres, nos amas y nos abrazas a todos. ¡Ese es nuestro mejor alimento! ¡Gracias Señor, porque para ti todos somos iguales! Hoy te decimos: ¡Sí aceptamos la invitación para recibir tu amor! Oramos en el nombre de Jesús, el amigo de todos. ¡Amén!».

Actividades

Tareas para reforzar la enseñanza:
1. Colorear
2. Recortar láminas relacionadas con la historia
3. Entregar varias palabras relacionadas con la lección a cada estudiante para llevarse a la casa
4. Sea creativo y utilice otras estrategias

CAPÍTULO 10

Lección bíblica para niños con Autismo (TEA)

Datos importantes que todo maestro debe conocer

Javier es padre de un niño autista, y nos dice lo siguiente: Es un hecho conocido por todos los padres, las madres y los profesionales en la materia, que los niños con autismo son altamente manipuladores, con una capacidad para actuar con llantos, para lograr sus objetivos. Inclusive, estoy pensando seriamente proponer a mi hijo para que reciba el Oscar de la Academia al mejor actor. Erróneamente y aunado a la ceguera mental, algunos profesionales aseveran que las personas con autismo no tienen sentimientos y, mucho menos, la capacidad de aprender y amar.

Los niños con autismo sí aprenden y sí aman. La diferencia está en la forma de aprender y demostrar el amor. Un niño diferente a ellos nos dice que nos quiere, nos busca para invitarnos a jugar con él interactivamente, muestra su sonrisa cuando nos ve, y hace dibujos de sus papás para orgullosamente mostrarlo a sus amiguitos. Una persona con autismo no sabe la forma de comunicarnos que nos quiere, pero lo podemos notar, pues busca estar donde estamos nosotros, su estado de ánimo cambia cuando nos acercamos, juega a nuestro lado (en lo suyo), o trata de imitarnos.

Así como les enseñamos a las personas con autismo diferentes habilidades que van desde imitación, el cuidado de sí mismos, dinámicas cognitivas, etc., se les puede enseñar a demostrar sentimientos. El caso del hijo de Javier es particular, pues con 9 años tiene autismo severo, habla muy poco, y su entendimiento es bastante limitado. Sin embargo, aprendió a dar besos, abrazos, sonreír y hacer diferentes caras (p. ej., enojado, contento, etc.), y ahora que ya sabe demostrar su afecto, es sumamente cariñoso con la gente.

Los niños y las niñas con autismo aprenden, sienten, aman y sufren al igual que nosotros, solo que no saben expresarlo de la manera a la que estamos acostumbrados. ¿Qué debemos tomar en consideración a la hora de enseñarle una historia bíblica a un niño autista?

Trabajar en proyectos de educación cristiana con una niñez integrada con «ángeles que brillan», es un desafío extraordinario. Se necesita tener pasión, compromiso, sensibilidad, y también conocimiento. El proceso educativo integrado de niños con diferentes necesidades especiales con otros estudiantes, requiere que el maestro tome en consideración y conozca bien las siguientes necesidades de estas criaturas de Dios:

1. Hay que ayudarles a comprender su entorno. Hay que organizar su mundo y prepararlos para lo nuevo que va a ver y recibir. El orden y las estructuras los liberan del caos.
2. Hay que ser fuertes con ellos. El líder educativo no puede mostrar angustia o pena, porque esa actitud provoca el mismo sentimiento en el niño. Se debe respetar su ritmo. Siempre podrás relacionarte bien con el estudiante, si comprendes sus

necesidades y su modo especial de entender la realidad. No te deprimas, lo normal es que el niño o niña avanzará y se desarrollará cada vez más, aunque a veces tenga algunos retrocesos.

3. No hables demasiado, ni tampoco rápido. Las palabras son «aire» que no pesan para ti, pero pueden ser una carga muy pesada para el que padece de TEA. Muchas veces no son la mejor manera de relacionarse.

4. Como otros niños y adultos, también necesitan compartir el placer y les gusta hacer las cosas bien, aunque no siempre lo consigan. Hazle saber, de algún modo, cuándo he hecho las cosas bien y ayúdalos a hacerlas sin fallar. Cuando fallan mucho, pueden irritarse y terminan por negarse a hacer las cosas.

5. Necesitan más orden del que tú necesitas, que el medio sea más predecible de lo que tú requieres. Estas criaturas tienden a negociar sus rituales para convivir.

6. Muchas veces les resulta difícil comprender el sentido de las cosas que se les pide hacer. Trata de pedirles cosas que puedan tener un sentido concreto y descifrable para ellos. No permitas que se aburran ni que permanezcan inactivos.

7. No los invadas excesivamente. A veces, las personas son demasiado imprevisibles, demasiado ruidosas, demasiado estimulantes. Respeta las distancias que necesitan, pero sin dejarlos solos.

8. Lo que hacen no es contra ti. Cuando se expresan con rabietas o golpes, si destruyen algo o se mueven en exceso, cuando les es difícil atender o hacer lo que le piden, no lo hacen para hacer daño. Estos «ángeles de luz» batallan para entender lo que está bien y lo que está mal.

9. Su desarrollo no es absurdo, aunque no sea fácil de entender. Tienen su propia lógica y muchas de las conductas que llaman

«alteradas», son formas de enfrentar el mundo desde su especial forma de ser y percibir. Haz un esfuerzo por comprenderlos.

10. En comparación con la niñez que sufre de TEA, las otras personas son demasiado complicadas. El mundo de ellos no es complejo y cerrado, sino simple. Aunque parezca extraño su mundo es tan abierto, tan sin conflictos ni mentiras, tan ingenuamente expuesto a los demás, que resulta difícil penetrar en él. Es como si vivieran en una llanura tan abierta que puede parecer inaccesible. Sin embargo, estas criaturas tienen mucha menos complicación que las personas que se consideran «normales».

11. Por favor, no les pidas siempre las mismas cosas ni les exijas las mismas rutinas. El educador no tiene que hacerse autista para ayudarlos.

12. Además de ser autistas, son niños, adolescentes o adultos. Ellos pueden compartir muchas cosas de los niños, adolescentes o adultos a los que tradicionalmente llaman «normales». Les gusta jugar y divertirse, quieren a sus padres y a las personas cercanas, se sienten satisfechos cuando hacen las cosas bien.

13. Es mucho más lo que comparten que lo que los separa del resto de la niñez. Pueden dar más satisfacciones que otras personas, aunque no sean las mismas. Puede llegar un momento en la vida en el que estos «ángeles que brillan», sean la mayor y mejor compañía que otras personas de las que se espera más.

Una niña con autismo

En este contexto resulta importante presentar un buen ejemplo tomado del libro, *El autismo y tu iglesia*.

Karin es una niña de 8 años que padece TEA. A ella le encanta la música y tiene buenas habilidades motrices. No puede comunicarse verbalmente, por eso usa sus manos para rasguñar y pellizcar cuando se enoja. Cuando la estaban visitando en su escuela y en su hogar, los voluntarios de su iglesia observaron cómo los cuidadores la conducían a una zona más tranquila, le tomaban las manos y le masajeaban las palmas mientras ella se calmaba. Luego miraban su programa con imágenes para ver qué seguía. Karin caminaba con su imagen hacia la próxima actividad para regresar a lo planeado.

La iglesia también descubrió que a Karin le costaba adaptarse a nuevos lugares. No solo la hacían visitar su aula en la iglesia el día sábado, cuando estaba vacía, sino que la dejaban escuchar el ensayo de los músicos y ellos disfrutaban viéndola danzar al ritmo de la música. Karin podía escuchar una de sus cosas favoritas, la música, durante su visita, haciendo que este fuera un lugar divertido donde querer ir al siguiente día. Ellos sacaron fotos de su visita para que el próximo día su madre pudiera recordarle por medio de las fotografías dónde estaba asistiendo.

Esta preparación y plan de comportamiento daban muy buenos resultados. Los voluntarios estaban muy cómodos, y ella también. Sus compañeros se complacían de tenerla como parte del grupo, y la iglesia pronto se convirtió en uno de sus lugares preferidos.

Lección de escuela bíblica para niños autistas

Esta lección bíblica fue escrita por la doctora Yasmín Lugo, quien ejerce su profesión como sicóloga clínica por muchos años, en Orlando, Florida. Graduada en 1999, con un PhD en Sicología en Carlos Albizu University, San Juan, Puerto Rico.

Escribe esta lección como fiel creyente que ama al Señor, como educadora y profesora de estos temas en la universidad, y especialmente como experta en la conducta humana. Por su trayectoria profesional y conocedora del tema, la doctora Lugo contribuye de forma destacada en esta importante obra en varios de los temas que aquí se presentan. Especialmente, la distinguimos con gratitud, como la mejor profesional en el campo de la sicología para participar en este esfuerzo de «educación cristiana transformadora para la niñez con necesidades especiales».

Ella también se ha unido a mí para soñar y hacer realidad un proyecto que, con la ayuda del cuerpo de Cristo, prepare a la niñez con necesidades especiales a ser funcionales en todos los sectores de la sociedad.

Introducción

En la sección para presentar las características de los niños autistas, se discutieron las características básicas de la condición. Como resumen, debemos recordar que este desorden manifiesta sus peculiaridades de manera diferente entre los diversos niños y niñas. Entre las características básicas predominantes, se encuentran el déficit persistente en la interacción social, y en la comunicación verbal y no verbal, además de patrones de conducta repetitivos y restrictivos. También se manifiestan posibles problemas sensoriales, y en algunos casos, problemas de aprendizaje y limitaciones intelectuales.

Al tener un cuadro clínico complicado y desafiante, los maestros de escuela bíblica deben considerar cuáles son las características particulares de este niño en específico, para afirmar sus fortalezas y responder a sus debilidades. De igual manera, es importante considerar que el rol de la iglesia en este importante proceso pedagógico es apoyar y colaborar con estos padres que diariamente manejan niños con incapacidades. Cuando estos padres llegan a la iglesia, probablemente se encuentran cargados y cansados. El estar unas horas recibiendo palabra espiritual les ayudará a sentirse fortalecidos para enfrentar los retos físicos, sicológicos, emocionales y médicos que enfrentarán durante la semana.

Al tomar en consideración las diferencias y peculiaridades entre cada niño y niña, se debe entender que este tipo de lección de escuela bíblica no debe tener muchos niños en el salón de clases, ya que la estimulación debe ser controlada. Se espera que el promedio de niños autistas por salón debería ser aproximadamente de cuatro niños autistas o menos por maestro.

El propósito de tener ese número bajo de maestros por estudiante autista es proveer el ambiente adecuado y la ayuda individualizada necesaria, pero al mismo tiempo controlar la intensidad y cantidad de estimulación sensorial, para evitar una crisis de conducta. Otro aspecto que ciertamente debemos considerar es la diferencia entre la edad cronológica y la capacidad mental de los alumnos. Es decir, un niño podría tener una edad cronológica de 8 años, pero su edad mental podría ser de 5 años. Lo que significa de manera inmediata, que la lección debe ser formulada para atender las necesidades de un niño o niña de 5 años, y no de la edad cronológica.

El reto más significativo en la preparación y presentación de este tipo de clase es el ajuste de la lección, dependiendo de las necesidades particulares del estudiante. Este proceso de enseñanza y aprendizaje de las necesidades del niño por parte del maestro, puede ser visto como un acto de evangelización, ya que cuando los padres se sienten a gusto en la iglesia existirán más probabilidades de que continúen asistiendo a la congregación y le comuniquen a otros padres que este es un lugar donde no se sienten rechazados. En mi experiencia, muchos padres de niños con autismo no asisten a la iglesia por las complicaciones causadas por la condición y las conductas del niño.

Esperamos que estas recomendaciones abran las puertas para el cuidado y la educación de estos niños, rompa barreras físicas y pedagógicas, y elimine el estigma de autismo.

Lección Bíblica: ¡Yo también puedo ir!

Parábola «El gran banquete», para niñez con autismo.

Bosquejo de la lección

Como indicamos anteriormente, no hay dos niños autistas iguales, así que el bosquejo de la lección puede y debe ser ajustado de acuerdo con las necesidades específicas de los alumnos.

1. Bienvenida a estudiantes y padres. Este proceso puede tomar entre 5-15 minutos dependiendo de la edad del estudiante, y si está familiarizado con el maestro o no. Recuerde que los niños con autismo podrían tener problemas con los cambios de rutina, y este proceso inicial podría ser difícil. Se recomienda a los padres que lleguen a la iglesia temprano para tener un proceso de transición saludable. En el caso de que el estudiante presente resistencia, invite al padre o madre a quedarse en el salón durante la clase. Explíquele al padre, la madre o persona encargada que tarde o temprano el estudiante se quedará solo en la clase, pero inicialmente necesitará de su apoyo en adaptarse a las transiciones.
2. Introducción a la lección.
3. Objetivo.
4. Lectura del texto bíblico (debe ser experiencia visual).
5. Explicación de texto a través de dibujos (de forma visual).
6. Actividad sensorial.
7. Conclusión.

Objetivos

El primer objetivo de esta lección es sembrar la semilla, en todos los niños, de que Jesús nos acepta a todos, independientemente de nuestras diferencias, que es una manera de afirmar la inclusividad.

El versículo bíblico nos presenta el segundo objetivo: Nos muestra a personas que no desean participar del banquete, como otras que participarán del manjar. En este sentido, el objetivo es entender que algunas personas se acercarán al niño con autismo y lo aceptarán, pero otras no lo harán. Se espera trabajar con las emociones de rechazo y aceptación. De esta forma se puede fortalecer el sentido del niño de ser aceptado incondicionalmente por Jesús, para manejar adecuadamente las emociones.

El tercer objetivo de esta lección es enseñar a los estudiantes cómo el hombre del banquete interactuó con otras personas con alegría y compartió sus recursos y abundancia. A través de este objetivo reforzamos las destrezas sociales y la importancia de interactuar con otros de forma saludable.

Texto bíblico

Parábola del gran banquete:

«Al oír esto, uno de los que estaban sentados a la mesa con Jesús le dijo:

—¡Dichoso el que coma en el banquete del reino de Dios!

Jesús le contestó:

—Cierto hombre preparó un gran banquete e invitó a muchas personas. A la hora del banquete mandó a su siervo a decirles a los invitados: "Vengan, porque ya todo está listo". Pero todos, sin excepción, comenzaron a disculparse. El primero le dijo: "Acabo de comprar un terreno y tengo que ir a verlo. Te ruego que me disculpes". Otro adujo: "Acabo de comprar cinco yuntas de bueyes, y voy a probarlas. Te ruego que me disculpes". Otro alegó: "Acabo de casarme y por eso no puedo ir". El siervo regresó y le informó de esto a su señor. Entonces el dueño de la casa se enojó y le mandó a su siervo: "Sal de prisa por las plazas y los callejones del pueblo, y trae acá a los pobres, a los inválidos, a los cojos y a los ciegos". "Señor —le dijo luego el siervo—, ya hice lo que usted me mandó, pero todavía hay lugar". Entonces el señor le respondió: "Ve por los caminos y las veredas, y oblígalos a entrar para que se llene mi casa. Les digo que ninguno de aquellos invitados disfrutará de mi banquete"» (Lucas 14.15-24, NVI).

Propósito

Es importante considerar que podemos aprovechar cada lección de escuela bíblica para reforzar las destrezas que estos niños carecen, y que probablemente tanto en la escuela como los terapistas están tratando de afirmar. En la lectura bíblica asignada, se recalca y se puede enseñar por los menos tres aspectos básicos:

1. La inclusividad de todos en el banquete.
2. La diversidad de emociones que podemos sentir, cuando alguien no quiere responder positivamente a una invitación y venir al banquete.
3. Y cómo interactuar con otras personas en el momento del banquete.

Cada uno de estos conceptos podría ser una lección individual con actividades que refuercen estas destrezas. Es muy importante, tomar en consideración que para niños y niñas con autismo moderado o severo, se debe considerar enseñar uno o dos de estos conceptos, no los tres.

Dependiendo del concepto escogido, usted puede compartir lo siguiente con los estudiantes:

1. Buenos días. El propósito de la lección de hoy es hablar sobre un hombre que invitó unos amigos a su casa para una gran cena. Hoy vamos a aprender cómo Jesús nos invita a todos a su casa.

2. Buenos días. El propósito de la lección de hoy es hablar sobre un hombre que invitó a unos amigos a su casa para una gran cena. Hoy vamos a aprender cómo Jesús nos invita a cenar y a ser parte de su reino. Y hoy vamos a aprender sobre cómo este hombre se sintió cuando muchos de sus amigos le dijeron que tenían cosas que hacer y no respondieron positivamente a la invitación.

3. Buenos días. El propósito de la lección de hoy es hablar sobre un hombre que invitó a unos amigos a su casa para una gran cena. Y vamos a aprender cómo hacer amigos y acercarnos a otros, de la misma forma que Jesús se acercaría a nosotros.

Materiales y estrategias multisensoriales

Considere los siguientes materiales y estrategias para presentar el relato:

1. Mesa con sillas alrededor simulando la gran cena (considere llevar a cabo la clase alrededor de la mesa.
    a. Incluya algunas frutas, galletas, quesos, agua, jugos que pueda compartir con los estudiantes. Considere posibles

alergias, dietas especiales para autismo, considere régimen alimenticio.

b. Platos, cubiertos y servilletas desechables.

2. Ayudas visuales

a. Es importante que las partes básicas de la historia bíblica sean mostradas visualmente. Cada concepto se debe enfatizar con una lámina o un dibujo para estimular la memoria visual y reforzar otras áreas importantes del aprendizaje. Considere que los niños con autismo podrían tener problemas de comunicación; por esta razón es de vital importancia tomar en cuenta otros medios de aprendizaje que no enfaticen exclusivamente el aprendizaje verbal.

b. Si el presupuesto de la iglesia lo permite, puede incorporar objetos de estimulación sensorial como: Bolas de estrés, diferentes texturas que se pueden utilizar como ejemplos de que las personas son diferentes, y máquina de burbujas.

Análisis del texto bíblico

Nuestros padres y familiares interactúan frecuentemente, reciben visitas y salen con otras personas. Alguien puede compartir su lugar favorito de salir con la familia. Se debe tener sensibilidad en torno a este tema, pues hay niños autistas cuyas familias tienen limitaciones sociales y económicas.

En la historia de hoy, nos encontramos con este hombre que invitó a sus amigos a su casa para una comida. Llamó a diferentes personas, y algunos de sus amigos tenían otros compromisos, o no lo vieron como una prioridad. Como resultado, el hombre decidió invitar a otras personas, como los pobres y algunos que tenían necesidades especiales como los ciegos, y ellos llegaron a la cena. Luego, el hombre se dio cuenta de que, aun invitando a estas personas, todavía había espacio para más gente. Así que decidió invitar a todos los que se encontraban en las afueras hasta llenar su casa.

En esta lección observamos que este hombre aprendió la importancia de la apertura hacia otras personas. De la misma manera, Jesús demuestra apertura y nos invita a ser parte de su reino, de su iglesia y de tener una relación con nosotros. Jesús nunca está ocupado cuando lo necesitamos y siempre está dispuesto a «cenar» con nosotros.

Aun cuando seamos o nos sintamos diferentes, Jesús nos acepta. Al igual que en la lectura bíblica, simbólicamente, Jesús nos invita a compartir una cena con otras personas. Debemos aprender también que no todas las personas aceptarán nuestra invitación. En este caso, ¿cómo nos sentimos cuando no nos invitan o cuando otras personas no nos aceptan como somos? Nos podríamos sentir rechazados, y si este sentimiento existiese, podemos recordar que Jesús no nos rechaza y siempre tiene las puertas abiertas para nosotros.

Jesús nos acepta como somos, es nuestro amigo, nuestro acompañante en el caminar de la vida, el que nos ayuda a tener control y nos permite refugiar nuestras emociones en su Palabra.

Aplicación

En estos versículos bíblicos, Jesús nos invita a participar de un gran banquete. Todos en algún momento hemos participado de un plato de comida delicioso y con familiares o amigos a la mesa. En nuestra lección, sabemos que Jesús, al igual que el hombre del texto bíblico, desea que estemos todos en la cena. Al acercarnos a Jesús, experimentaremos el amor incondicional. La palabra «incondicional» significa que Jesús es fiel y nos acepta con nuestras limitaciones y condiciones. Jesús nos invita a estar con él. Todos somos aceptados, todos podemos ir y sentir su amor y aceptación.

Oración

Jesús, te damos gracias por la familia y por las amistades. Agradecemos tu amor y tu aceptación incondicional. Te pedimos que otros puedan aprender de tu aceptación y amor. Amén.

CAPÍTULO II

Recursos para el ministerio de niños con necesidades especiales

En este capítulo, encontrarás una lista de recursos que se identificaron para ayudar a la Diócesis de la Iglesia de Los Ángeles a llevar a cabo su resolución, adoptada en la Convención Diocesana del 2013, para avanzar en la inclusión de personas con discapacidad de desarrollo o intelectual.

Se trata de una lista de cerca de más de 70 libros, además de enlaces a videos de *Youtube,* y programas especiales. Está diseñada para ayudar a ministros y sacerdotes, laicos, maestros y maestras de escuelas dominicales, padres de familia y feligreses, a aceptar completamente a niños y adultos con discapacidades en el desarrollo o sus capacidades intelectuales.

La reverenda Susan Bek fue la persona responsable de diseñar, organizar, completar y publicar esta lista. Sugerencias para agregar a esta lista, pueden ser enviadas al Grupo de programa de discapacidades, con atención a su dirigente: Rebecca Booth: 10242003@yahoo.com ; o al grupo del programa Mimi Grant a: mimi@abl.org

A continuación, presentamos la lista de libros, y también de los enlaces de videos de Youtube y programas especiales, en donde podrá encontrar algunas ayudas para líderes congregacionales, maestros de escuelas dominicales, padres de familia y feligreses, para reforzar el proceso de aceptación de niños, niñas y adultos con diferentes necesidades especiales.

Ayudas disponibles en internet para establecer ministerios dirigidos a personas con necesidades especiales

Rythms of Grace [Ritmos de gracia]: Adoración y formación cristiana para niños, niñas y familias con necesidades especiales, por Audrey Scanlan y Linda Snyder (agosto del 2010). *Rhythms of Grace* es un recurso para programas únicos, innovadores y de vanguardia, diseñado para cumplir con las necesidades espirituales de niños, niñas y familias que viven con desórdenes y diversos niveles de autismo. Las familias participantes se reúnen mensualmente con los líderes de programas y voluntarios para sesiones que son un híbrido de formación de adoración y fe. *Rhythms of Grace* ayuda a niños y familias a sentirse en el centro de una experiencia de adoración y formación que es específica para sus necesidades y circunstancias, más que solamente al margen de un programa convencional de familia. El plan de estudios de *Rhythms of Grace* consiste en 3 años de estudios basados en las Escrituras. Este volumen, año 1, incluye planes completos de las sesiones de 12 meses, así como el material de antecedentes y apoyos necesitados para establecer y conducir un programa exitoso.

The Special Needs Ministry Handbook [El Manual del Ministerio de Necesidades Especiales]: Una guía de la iglesia para contactar niños con discapacidades y a sus familias, por Amy Rapada (21 de agosto del 2007). Educacionalmente, espiritualmente y basado en experiencia, es una guía instructiva práctica y un recurso inspiracional escrito por líderes de iglesias, maestros de escuelas dominicales, y familias con discapacitados.

Special Needs Ministry for Children [Ministerio para Niños con Necesidades Especiales]: Creando un lugar acogedor para familias que tienen niños con necesidades especiales, por Pat Verbal (5 de septiembre del 2012). ¡Abre tu corazón para el más increíble ministerio que una iglesia podría tener! Quizá no hay mejor manera de compartir y recibir el amor de Dios que a través del ministerio de niños con necesidades especiales. ¿Sabes qué se necesita para hacer sentir a estos niños y a sus padres más cómodos cuando vienen a la iglesia? Este práctico y perspicaz libro es una guía para responder esa pregunta y más. Incluye casos de estudios e historias personales de reconocidos expertos en el campo del ministerio, con los cuales usted aprenderá acerca de la verdad: La mejor manera de contactar el grupo de gente más desatendido de nuestra comunidad. Cómo lanzar un ministerio de necesidades especiales en su iglesia. Cómo promover y reclutar a los voluntarios correctos. ¡Qué es lo que las familias con necesidades especiales realmente necesitan de usted y mucho más!

Vulnerable Communion [Comunión vulnerable]: Una teología de discapacidad y hospitalidad, por Thomas E. Reynolds (1 de abril del 2008). Como padres de un hijo con discapacidades, Thomas E. Reynolds y su esposa conocen cómo es ser malentendidos por la iglesia de la comunidad. En su libro, Reynolds muestra su experiencia personal y un cuerpo diverso de literatura para incentivar a las iglesias y a individuos a fomentar un tipo de hospitalidad más profunda hacia personas con discapacidades. Reynolds afirma que la historia de las iglesias cristianas es una que pone de manifiesto que la fuerza viene de la debilidad, la virtud emergente del quebrantamiento y el poder de la vulnerabilidad. Ofrece buenas herramientas bíblicas, teológicas y pastorales para comprender y acoger a personas con diversas discapacidades. Este es un recurso útil para todo estudiante, teólogo, líder de iglesia o laico en busca de descubrir el poder de Dios revelado a través de la debilidad.

Compel Them To Come In [Háganlos entrar], por Charlie Chivers y Tom Leach (16 de febrero del 2010). Una de cada cinco personas en EE. UU. vive con los retos diarios de ciertas formas de discapacidad. Ocho por ciento de este grupo, no tienen iglesias que puedan llamar propia. Por veintiocho años el ministerio *Toque especial* ha servido a las necesidades espirituales de miles de personas con discapacidades físicas e intelectuales a lo largo de la nación. En adición al ministerio directo a través del programa de verano, que es un tipo de vacación o retiro, y a grupos de apoyo local, sus representantes han enseñado en muchas iglesias y conferencias sobre asuntos vitales relacionados con la conciencia, la defensa y el ministerio de discapacidad a lo largo del país. Ahora *Toque especial* presenta herramientas para ayudar a pastores locales y congregaciones a que se acerquen a la vida de gente con discapacidades en sus comunidades. Esta obra es tanto una conferencia del ministerio de discapacidad y una jornada en el mundo de discapacidad, vista a través de quienes la viven. En el corazón del libro está la premisa de que toda persona, sin importar su condición o discapacidad, merece una presentación del evangelio a su nivel de entendimiento. Además presenta, entre otros temas, discusiones de los siguientes tópicos: La fundación bíblica y el mandato para el ministerio de discapacidad. Cómo las iglesias pueden iniciar un programa para gente con discapacidades en la comunidad. Una estrategia bíblica para evangelizar.

Including People With Disabilities in Faith Communities [Incluir a personas con discapacidad en las comunidades de fe]: Una guía para proveedores de servicios, familias y congregaciones, por Erik W.

Carter (2 de abril del 2007). El interés de Erik Carter en el tema, ha sido un asunto permanente de su investigación y es él uno de los líderes en la discusión, inclusión y fe. Este libro orienta cómo las comunidades de fe, proveedores de servicios y familias, pueden trabajar juntas para apoyar la participación total de individuos con discapacidades en la comunidad de fe de su preferencia. Los temas incluyen: Razón fundamental para incluir y apoyar a gente con discapacidades dentro de la comunidad de fe; importancia de la colaboración entre comunidades de fe, proveedores de servicio, familias e individuos con discapacidades para establecer y mantener el apoyo; ideas específicas para incluir a individuos con discapacidades y desarrollar una red de grupos religiosos, proveedores de servicios y familias para hacer comunidades de fe más incluyentes.

Amplifying Our Witness [Ampliar nuestro testimonio], por Benjamin T. Conner (11 de junio del 2012). Cerca de veinte por ciento de adolescentes tienen discapacidades de desarrollo, aun así muy a menudo son marginados entre iglesias. Este libro reta a las congregaciones a adoptar nuevos acercamientos para ministerios congregacionales, uno que incluya y amplíe el testimonio de adolescentes con discapacidades de desarrollo. Repleto con historias tomadas de la propia extensa experiencia de Benjamin T. Conner, haciéndose amigo y disciplinando a adolescentes con discapacidades de desarrollo, muestra cómo las iglesias excluyen a los discapacitados mentales de varias maneras institucionales, e incluso teológicas: Afirma el valor intrínseco de los niños con discapacidad de desarrollo; reconceptualiza la evangelización para adolescentes con discapacidades de desarrollo; y enfatiza la hospitalidad y amistad.

Let All the Children Come to Me [Dejen que los niños se acerquen a mi]: Una guía práctica para incluir niños con discapacidades en los ministerios de la iglesia, por MaLesa Breeding, Dana Kennamer Jood y Jerry E. Whitwoth (1 de abril del 2006). Este libro mezcla teoría e investigación con ideas prácticas y estrategias para la enseñanza de niños con necesidades especiales, y los ubica en un contexto espiritual y centrado en Cristo. Es común la afirmación: Todos tienen una historia que contar, y una voz que merece ser escuchada. Existen muchos miles de niños con necesidades especiales que por mucho tiempo han sido ignorados, rechazados y excluidos de nuestras escuelas, comunidades, y tristemente de nuestras clases de Biblia. Nosotros creemos que esos niños son amados profunda y completamente por nuestro Señor, y que ellos también son llamados a venir a Él. Este libro habla desde el corazón a la mente. Maestros, maestras, pastores y pastoras encontrarán inspiración e información, recordándoles que Dios nos llamó a incluir a todos los niños, sin importar el reto. En adición, el libro incluye maravillosos elementos prácticos con muchas ideas que pueden ser integradas fácilmente en el salón de clases. Combinando la filosofía y la estrategia, este libro capacita al típico maestro voluntario de iglesia a cumplir con las necesidades de todos los niños en el salón de clases.

Special Needs, Special Ministry [Necesidades especiales, ministerios especiales], por Joni Eareckson-Tada (diciembre del 2003). Jesús nos dijo que incluyamos a todas las personas, y eso incluye a los niños con necesidades especiales y a sus familias. Aquí hay historias verdaderas e inspiradoras de familias que comparten los retos y las experiencias de ser padres y madres de niños con necesidades especiales. ¡Esta obra es una guía del mundo real que le ayudará! Aprenda de muchos éxitos y fallas de las iglesias con programas de necesidades especiales; cómo comenzar o mejorar el ministerio de necesidades especiales; y obtener conocimientos de expertos en el campo.

El autismo y tu iglesia: Cómo fomentar el crecimiento espiritual de personas con Trastornos del Espectro Autista, por Barbara J. Newman

(2012). El autismo ha evolucionado de ser un término desconocido, a convertirse en una realidad diaria para millones de personas. Secciones de librerías están llenas de recursos con direcciones a cómo el trastorno del autismo afecta a niños, niñas y adultos en el trabajo, la escuela y el hogar. Pero ¿qué sucede en la iglesia? ¿Qué pasa en tu iglesia? ¿Cómo la iglesia puede convertirse en un lugar acogedor para individuos y familias afectados con autismo? *El autismo y tu iglesia* ofrece formas prácticas de recibir e incluir individuos con autismo en la vida de la congregación. Este recurso le permitirá a líderes de iglesias apreciar a aquellos con el trastorno autista, como personas creadas a imagen de Dios, aprender acerca de seis áreas comunes de diferencia en individuos con autismo, descubrir diez estrategias para incluir personas con autismo en la vida de tu iglesia, y desarrollar un plan de acción para ministerios salientes con niños y adultos con autismo. La sección de recursos reproducibles incluye formas de entrevista y permiso, descripción del trabajo del coordinador, un ejemplo del plan de formación espiritual individual, y más.

Autismo & Alleluias [Autismo y Aleluyas], por Kathleen Deyer Bolduc (15 de febrero del 2010). En los pasados dos o tres años, el tema del autismo se ha discutido en *TIME, Newsweek* y *USA Today*. De acuerdo con el último censo en Estados Unidos, 1 de cada 150 niños americanos padecen de algún tipo de autismo, y los números están creciendo diariamente (p. ej., un incremento del 13 % sobre los pasados diez años). Comportamientos difíciles, un sinnúmero de especialistas, problemas en las escuelas, dietas especiales y el desarrollo de la discapacidad cambia radicalmente la vida de la familia afectada. ¿Cuál es el papel que juega la fe en ayudar a las familias a hacer frente al problema? ¿Es posible cantar el aleluya en el medio de la adversidad? En esta serie de testimonios de vida, la gracia de Dios brilla sobre las sombras, pues Joel, un adolescente con autismo, enseña a quienes lo aman a caminar el laberinto de la vida requerido en la fe, con humildad, verdad, compasión, perdón y una actitud de apertura a los regalos de Dios.

Ministries with Persons With Mental Illness and Their Families [Los ministerios con personas con enfermedades mentales y sus familias], por Robert H. Albers, William H. Meller y Steven D. Thurber (1 de febrero del 2012). Aquellos que son afligidos o afectados por una enfermedad mental, a veces viven vidas con una «desesperanza callada», y sin recursos para una asistencia apropiada. La mayoría de los cuidadores que enfrentan la enfermedad en el trabajo del ministerio, no han tenido un entrenamiento ni han recibido la información precisa acerca de las enfermedades mentales. Como resultado, frecuentemente no hacen nada, resultando en mayor maltrato y daño a la persona en necesidad. Otros quizá operan desde un sistema teológico, que no necesariamente es adecuado para la naturaleza, severidad o tratamiento de la enfermedad. En este material, psiquiatras y teólogos pastorales se juntaron en un esfuerzo interdisciplinario y cooperativo, aseguran la precisión de la información respecto a las dimensiones médicas de la enfermedad mental, interpretan estas enfermedades desde una perspectiva de fe, y hacen sugerencias relativas al ministerio efectivo. El lector aprenderá cómo la ciencia y la fe pueden no solamente coexistir sino trabajar juntas para aliviar el dolor, en sentido físico y figurado, del afligido y afectado.

Unexpected Guests at God's Banquet [Invitados inesperados al banquete de Dios], por Brett Webb-Mitchell (1 de marzo del 2009). Tomando parte de la parábola de Jesús del gran banquete, esta práctica y retadora llamada a hacer una iglesia inclusiva, muestra por qué las personas con discapacidad (p. ej., mentalmente discapacitados, físicamente imposibilitados y otros) deben ser parte de la vida congregacional, y ofrece consejos sabios en torno a cómo hacerlo realidad.

Beyond Accesability [Más allá de la accesibilidad], por Brett Webb-Mitchell (8 de abril del 2010). Una iglesia tiene construida una rampa de accesibilidad y quizá remodeló sus sanitarios para acomodar sillas de ruedas. ¿Ahora qué? Este recurso de un notado autor de varios libros sobre gente con discapacidades, ofrece un acercamiento teológico y práctico para congregaciones, con claras estrategias para la inclusión de todos los miembros, reconociendo y usando los dones que cada miembro brinda a la vida de las congregaciones.

Churches That Make a Difference [Iglesias que marcan la diferencia], por Ronald J. Sider, Philip N. Olson y Heidi Rolland Unruh (1 de abril del 2002). Las iglesias, durante las pasadas generaciones, se han debilitado por la falla en contactar tanto al necesitado físicamente como espiritualmente de sus comunidades. Muchas han adoptado una visión estrecha, enfocándose en solo un aspecto del ministerio. Pero en el ambiente de fe actual, que está basada en oportunidades, muchos cristianos están ansiosos de empezar la búsqueda en su mundo tanto con buenas nuevas y buenos trabajos, y por tanto están buscando maneras apropiadas de integrarse en el ministerio. En esta obra, el autor Ron Sider y sus coautores proporcionan a aquellos que están involucrados en la comunidad a divulgar un recurso comprensivo para el desarrollo del ministerio holístico o integral, que constituye un balance de evangelismo y compromiso social. Ilustraciones y consejos organizacionales detallan cómo lograr un ministerio holístico efectivo. Varios estudios de casos muestran cómo diferentes iglesias, a lo largo de Estados Unidos, alcanzan a sus comunidades proveyendo una variedad de ideas y aplicaciones prácticas. Herramientas de uso fácil que incluyen también estudios congregacionales, encuestas y evaluaciones comunales. El autor muestra sobre una extensa experiencia con ministerios de iglesias y organizaciones de fe cómo ellos comparten la visión de cambio de vida y mandato bíblico para vivir el evangelio.

Los líderes de las iglesias serán animados en su proceso de desarrollo y mantenimiento del ministerio holístico y las iglesias locales redescubrirán la pasión de amar a la persona de la manera que lo hizo Jesús.

McGuire Memorial Awakening Spiritual Dimensions [Dimensiones del despertar espiritual del Memorial McGuire]: Servicios de oración con personas con discapacidades severas, por William Gilum (5 de mayo del 2006). La obra presenta un programa donde las personas con discapacidades físicas y mentales severas, y sus cuidadores, son provistos de herramientas y de oportunidades para despertar el Espíritu de Dios en ellos. El libro empieza con la presentación del propósito y los métodos utilizados para permitir a los participantes que evoquen, despierten e intuyan el amor y la presencia de Dios durante el tiempo de oración. Los servicios de oración contemplativa del libro, usan un modelo basado en sensores permitiendo símbolos, vista, oído, aroma, tacto y gente, para traer un sentido de lo sagrado a todas las personas que se reúnen para orar.

Recursos para maestros de las escuelas dominicales

Exceptional Teaching [Enseñanza excepcional]: Una guía comprensible para incluir a estudiantes con discapacidades, por Jim Pierson (1 de febrero del 2002). ¿Existe algún niño con discapacidad de aprendizaje que quiera ser parte de las clases de escuela dominical o del grupo de jóvenes? Este manual aliviará sus recelos y permitirá que cada niño participe. El autor explica las características de 77 diagnósticos de necesidades especiales e identifica retos, métodos apropiados de enseñanza y disciplina, y expectativas realistas. Incluye historias maravillosas de vidas excepcionales.

Children's Ministry Pocket Guide to Special Needs [Guía práctica del ministerio de niños para abordar las necesidades especiales], por

Group Publishing Inc. (2 de junio del 2008). ¿Cuáles son las 10 necesidades especiales más importantes entre los niños? Entérate. Luego descubre las técnicas de enseñanza relevantes, además de consejos para padres y niños en el salón de clases. Aprenderás cómo identificarte y conectarte con niños con necesidades especiales, y a llevarlos hacia el gran amor de Jesús. ¡Ve a los niños prosperar en clase! ¡Ahorra dinero! Por tan solo un poco más de un dólar por cada uno, se puede dar guías a diez voluntarios. Incluye encuestas y herramientas para guiar a maestros al tiempo que colaboran con los padres. Sencillo de usar. Paquete de 10 guías prácticas.

Ten Things Every Child with Autism Wishes You Knew [Diez cosas que cada niño con autismo desea que supieras], por Ellen Notbohm (1 de enero del 2005). Ganadora del Premio iParenting Media y mención honorífica en los premios anuales ForeWord 2005. Cada padre, maestro, maestra, trabajador social, terapeuta y doctor deberían tener este libro informativo en su bolsillo. Enmarcado con humor y compasión, el libro define las diez características que iluminan la mente y el corazón de niños con autismo. La experiencia de la autora como madre, columnista de autismo, y contribuyente de varios números de revistas, crea la guía para todos aquellos con niños con espectro autista. Compra uno de estos libros para todos quienes interactúan con tu hijo. Dales el regalo del entendimiento. Los capítulos incluyen: Mis percepciones sensoriales están desordenadas. Distinguir entre el no poder y el no hacer. Yo soy un pensador concreto; Interpreto el lenguaje literalmente. Sé paciente con mi vocabulario limitado. Por qué el lenguaje es tan difícil para mí. Soy muy orientado visualmente. Enfoca y construye en lo que puedo hacer más que en lo que no puedo. Ayúdame con las interacciones sociales. Identifica lo que ocasiona mis colapsos.

The Child With Autism Learns about Faith [El niño con autismo aprende sobre la fe], por Kathy Labosh (25 de febrero del 2011).

Aprobado por líderes religiosos, este libro ofrece un plan de lecciones «paso a paso» para miembros de familia, educadores y personal de la iglesia incluyendo narraciones, actividades grupales, oraciones, lecturas, guías para establecer el salón, listas adicionales de recursos y más. Cada lección también es acompañada por un Estudio de la Escritura, para ayudar a los instructores a prepararse para cada clase, donde el autor provee ideas adicionales y cuestiones para discusiones.

Behavior Solutions for the Inclusive Classroom [Soluciones en el comportamiento para el salón de clases incluyente], por Beth Aune, Beth Burt y Peter Gennaro (30 de abril del 2010). ¿Por qué no se queda sentado en su silla? ¿Por qué aplaude? ¿Qué debo hacer? La inclusión se convierte en la norma de educación general. Los maestros son enfrentados con comportamientos que nunca antes han visto, y este es territorio nuevo para la población en general. Escrito por el director de educación especial, Peter Genaro, la terapeuta ocupacional Beth Aune, y la mamá y defensora de necesidades especiales, Beth Burt, este libro ilumina posibles causas de comportamientos misteriosos, y aún más importante, ¡provee soluciones! Los maestros pueden ver rápidamente una solución y aprender acerca de lo que el niño está comunicando, y por qué. Los autores conjuntamente señalan los problemas de comportamiento, tales como: Comportamientos fuera de lugar; aplaudir; cubrirse los oídos; perder materiales y faltar a asignaciones; mala escritura; el no seguir direcciones; decir cosas agresivas o inapropiadas; problemas de vestimenta; dificultad para tomar decisiones; y muchas más. Maestro, es posible aprender las diferencias y mantener un ambiente positivo de aprendizaje para todos los estudiantes. Este libro se debe tener en todos los salones de clase incluyentes.

Helping Kids Include Kids With Disabilities [Ayudar a los niños a incluir a niños con discapacidades], por Bárbara J. Newman (1 de junio del 2001). Los niños con necesidades especiales son parte de la familia de Dios. Este libro proporciona consejos prácticos para ayudar a los estudiantes a recibir a la niñez con discapacidades en su salón de clases de la escuela o de la iglesia. Varios capítulos señalan condiciones específicas tales como autismo, impedimento visual y auditivo, impedimento emocional, discapacidad de aprendizaje y de lenguaje; y más. También incluye guías para las iglesias, ejemplos de planes de lecciones y devoción para las familias.

God Plays Piano, Too [Dios también toca el piano], por Brett Webb-Mitchell (25 de octubre de 1993). Josué es un niño con un don extraordinario para tocar el piano, y también es autista. Su historia es una de las muchas en esta vista reveladora de la vida espiritual de niños con discapacidades: aquellos con retraso mental, autismo o algún desorden del comportamiento.

Building Sensory Friendly Classroom to Support Children with Challenging Behaviors [Construcción de salones de clase aptos para niños con comportamientos desafiantes], por Rebecca A. Moyes (1 de octubre del 2010). La autora de este libro, que es maestra, lectora de renombre y madre de un niño con síndrome de Asperger, ayuda a caminar a todo maestro de educación regular o especial, a través del proceso de asentamiento de un salón de clases sensorialmente amigable, en este libro que es muy fácil de usar. Es posiblemente el único libro que discute las estrategias pedagógicas basadas en datos, y que ayuda a maestros y maestras a implementarlas. El desorden de integración sensorial, algunas veces se presenta como problemas de comportamiento; esos, sin embargo, son un estado interno, tiene que ser dirigido con base en comportamientos observados en el infante. Rebecca pudo tomar los datos y trabajos en cómo hacer la vida más fácil de los estudiantes y de los maestros.

Special Needs Smart Pages [Páginas inteligentes de necesidades especiales], por Joni & Friends (5 de enero del 2009). Los niños y las niñas con necesidades especiales, a menudo no encajan en un programa típico de las iglesias, resultando en frustración general para los padres, los niños, y para la iglesia misma. Así que es crucial que todos los niños tengan la oportunidad de conocer a Jesús como su Salvador y Señor. En este libro, Joni & Friends cumplen su necesidad vital, proveyendo a iglesias de todo tamaño un recurso entendible para ayudarles a alcanzar individuos con diferentes tipos de necesidades especiales, incluyendo autismo, desórdenes cognitivos del cerebro, y discapacidades físicas. El lector aprenderá a reclutar y entrenar líderes y maestros para el ministerio de necesidades especiales: Cómo cumplir con las necesidades físicas, sociales, emocionales y espirituales de niños discapacitados, y cómo ayudar a estos niños a descubrir y a usar sus dones únicos para servir al cuerpo de Cristo. Incluye lecciones de historias bíblicas especialmente adaptadas, devociones para motivar al maestro, planeación de información, artículos de entrenamiento, consejos y pequeños carteles, en adición a historias inspiradoras de seis niños con necesidades especiales que viven para Jesús.

Handbook for Adaptive Catechesis [Guía práctica para catequesis adaptable], por Michele Chronister (1 de septiembre del 2012). Este libro refleja las necesidades de individuos con amplio rango de discapacidades y llama a líderes de programas de catequesis y educación religiosa a pensar en los estudiantes con necesidades especiales en sus programas principales y especializados. Este trabajo, cubre una amplia variedad de necesidades especiales, algunas con el propósito de alcanzar a quienes lo necesitan. El autor discute estrategias para tener diálogos fructíferos con los padres, identificando estudiantes para su programa de necesidades especiales, reclutar maestros efectivos y desarrollar planes de lecciones. A través del texto y de los ejemplos que incluye, entre ellos algunas reflexiones prácticas y fáciles de entender, especialmente por estudiantes que quizá no tienen el entrenamiento teológico formal requerido para usar otros recursos disponibles. Puede también ser usado por estudiantes regulares en salones de clase, como recurso de técnicas de enseñanza creativa para estudiantes quienes tienen discapacidades de aprendizaje. Los estudiantes de hoy son retados a ser conscientes de los avances pedagógicos sobre el tema de personas con discapacidades. Estos estudiantes son amados por Cristo, y también por los miembros de la iglesia. Es por esa razón, que todos los fieles deberían esforzarse a trabajar para su beneficio, y estar abiertos a los dones que traen a nuestras comunidades de fe.

Same Lake, Different Boat [El mismo lago, un bote diferente], por Stephanie O. Hubach y Joni Eareckson Tada (13 de septiembre del 2006). Cuando la iglesia intenta funcionar sin todas sus partes, el cuerpo de Cristo se convierte en discapacitado. Este libro es un trabajo transformacional, diseñado para renovar nuestras mentes para pensar bíblicamente acerca de las discapacidades para que nuestras vidas, nuestras relaciones y nuestras congregaciones reflejen a Cristo.

Simple Strategies That Work! [Sencillas estrategias que funcionan], por Brenga Smith Myles, Diane Adreon y Dena Gitlitz (11 de julio del 2006). Niños y adolescentes con síndrome de asperger y autismo, tienen gran potencial, pero muy a menudo sus capacidades no son apreciadas. Esta obra provee acercamientos efectivos y estrategias pertinentes, que los maestros pueden usar para ayudar a estudiantes con asperger y autismo en el camino al éxito. El libro también discute problemas que quizá surjan en la inclusión en salones de clases, y cómo los educadores pueden incluso hacer pequeños ajustes para acomodar a sus estudiantes con autismo, mientras no interfieran con las rutinas estándares del salón de clases.

Recursos para líderes e interesados en la teología de la educación para personas con necesidades especiales

Disabilities and the Gospel [Las discapacidades y el evangelio], por Danyelle Ferguson y Lynn Parsons (6 de mayo del 2011). Cada día, padres, madres y líderes de iglesias luchan para enseñar a individuos con necesidades especiales. Utilizando historias de vida reales, y un toque de humor, este libro inspirador te guía a enseñar efectivamente, a sobrepasar barreras comunicativas, y a construir relaciones con gente de todas las edades con discapacidades. Descubre la habilidad que cada persona tiene para aprender y crecer, al ayudarles a sentir lo valiosos que son, ante Dios y ante las iglesias.

A Constructive Theology of Intellectual Disability [Una teología constructiva de discapacidad intelectual], por Molly C. Haslam. Este libro pregunta por aquellos individuos con discapacidades intelectuales profundas, lo que significa ser humano. La cuestión ha sido tradicionalmente respondida con un énfasis en la capacidad intelectual, sobre la habilidad de utilizar conceptos o de hacer elecciones morales, y ha ignorado el valor de los individuos con falta de tales capacidades intelectuales. La autora sugiere, más bien, la capacidad de comunicación que tiene el ser humano, entendido en términos de participación en relaciones de respuestas mutuas. Ella apoya su argumento, desarrollando una fenomenología de cómo un individuo se relaciona, con discapacidad intelectual profunda. Ella demuestra que estos individuos participan en relaciones de respuestas mutuas, pensamiento no simbólico, formas corporales. El ser humano, al ser imagen de Dios —expone ella—, responde al mundo y la sociedad en diversas formas, tanto corporales como simbólicas. Tal entendimiento no excluye a gente con discapacidades intelectuales, más bien los incluye, entre aquellos que participan en la imagen de Dios.

Theology and Down Syndrome [Teología y síndrome de Down], por Amos Yong (1 de noviembre del 2007). Mientras la lucha por los derechos de los discapacitados ha transformado la ética secular y la política pública, la enseñanza cristiana tradicional ha sido lenta para avanzar. Amos Yong fusiona ambos, tanto la teología de la discapacidad como la teología informada por la discapacidad. El resultado es una teología cristiana que no solo conecta con nuestro entendimiento presente social, médico y científico acerca de la discapacidad, sino también uno que facilita un conjunto de prácticas apropiadas para nuestro actual contexto moderno.

Practicing Witness [La práctica del testimonio], por Benajamin T. Conner (6 de julio del 2011).

Recursos para padres

More Than a Mom [Más que una mamá], por Heather Fawcett y Amy Baskin (30 de abril del 2006). (Premio al publicista independiente 2007, medallista de bronce en la categoría asuntos de mujeres; Premio Mom's Choice 2006; finalista en la categoría de libros para adultos / no ficción; Premio al mejor libro 2006, finalista en la categoría de libros para padres / familia). Este libro explora cómo la mujer puede llevar una vida personal plena e enriquecedora, mientras educa a niños con necesidades especiales. La dotada mezcla de investigación, experiencia personal y retroalimentación de más de 500 madres a lo largo de América del Norte, resulta en un libro lleno de estrategias prácticas, consejos y consuelo para madres que tratan de crear vidas más manejables y significativas. Esta obra señala las preocupaciones universales y las cuestiones de toda madre, acoplado con la agregada intensidad de criar a niños con discapacidades. Esta guía mira a los retos que las madres enfrentan en casa, en el trabajo y con ellas mismas, con especial atención a los siguientes aspectos: Permanecer saludable tanto física como emocionalmente; mantener amistades; permanecer organizada; mantener el matrimonio; nutrir intereses y metas; buscar opciones flexibles de trabajo; cambiar carreras o empezar un negocio; reincorporarse a la fuerza de trabajo; encontrar cuidado de niños especializado; y defender a tu niño o niña. Las madres que fueron entrevistadas para el libro tienen diversos antecedentes y familias dinámicas. Debido a sus diferencias, y al hecho de que sus hijos tienen diferentes discapacidades, es difícil que estas madres enfrenten las mismas dificultades. Este libro provee con muchas voces y soluciones que resonarán con sus propias circunstancias. Esposos, familias, amigos, organizaciones de apoyo y proveedores de servicios también querrán leer este perspicaz libro lleno de buenas experiencias y recomendaciones.

Freeing Your Child from Anxiety [Liberar a tu hijo de la ansiedad], por Tamar Ellsas Chansky (30 de marzo del 2004). La niñez debería ser un tiempo feliz y sin preocupaciones. Sin embargo, cada vez más niños están mostrando síntomas de ansiedad, desde mojar la cama hasta dolores de estómago frecuentes, pero ¿cuánto es normal? ¿Cómo saber cuándo la tensión ha pasado a un completo desorden de ansiedad? La mayoría de los padres no saben cómo reconocer cuando existe un problema real y cómo tratarlo. En este libro, un especialista infantil en desorden de ansiedad examina todas estas manifestaciones en la niñez, tales como miedos, ansiedad social, síndrome de Tourette, jalones de cabello y desorden obsesivo compulsivo, y te guía a través del programa probado para ayudar a tu hijo a regresar a una estabilidad emocional. Ningún niño es inmune de los efectos del estrés en la actual vida saturada de medios. Afortunadamente, los desórdenes de ansiedad son tratables. Siguiendo estas sencillas soluciones, los padres pueden prevenir a sus hijos del sufrimiento innecesario de hoy y del mañana.

Incredible 5-Point Scale [La increíble escala de cinco puntos], por Kari Dunn Bruon y Mitay Curtis (Enero, 2004). Este recurso lo debes tener, pues muestra cómo una escala de cinco puntos puede ayudar a los estudiantes a entender y a controlar sus reacciones emocionales en los eventos diarios. Este libro muestra cómo romper un comportamiento dado, y con la activa participación del estudiante, desarrolla una escala que identifica el problema y sugiere alternativas y comportamientos positivos en cada nivel de la escala.

Married with Special-Needs Children [Casados con niños con necesidades especiales], por Laura E. Marshak y Fran P. Prezant (5 de enero del 2007) (Premio iParenting Media / Productos excelentes 2007). Al fin, una guía que habla a los padres acerca de cómo trabajar en los asuntos maritales mientras se lucha con las demandas de criar a un niño con alguna discapacidad de desarrollo, condiciones médicas serias o una enfermedad mental. Al escribir esta guía práctica y enfática, los autores se basan en su combinada experiencia profesional en consejo marital y orientación para padres, así como en la experiencia y el consejo de cientos de padres de niños con necesidades especiales. Este libro muestra cómo tener un niño con necesidades especiales puede hacer un matrimonio más difícil de llevar, y cómo un niño con necesidades intensivas puede ser la estructura de un matrimonio. Los autores examinan muchas de las tensiones subyacentes y las trampas comunes (p. ej., los mecanismos diferenciales de la pareja y las expectativas del hijo, las dificultades de comunicación y los procesos para resolver conflictos). Ellos también presentan un amplio rango de estrategias para superar y prevenir estos problemas. Marshak y Prezant también explican qué es lo que hace a un matrimonio fuerte, como por ejemplo, continuar compartiendo conexiones fuera de los roles de paternidad, guardar un sentido de autonomía y compartir las responsabilidades del cuidado del niño. Los padres reciben consejos acerca de la importancia del romance y la intimidad, y los beneficios de encontrar tiempo para el otro, incluso cuando se sienten muy cansados o tensionados. En adición, el libro ofrece tratos con serios problemas maritales y consideraciones de divorcio. Hay aportes de parejas que ofrecen conocimientos especiales dentro de lo que fue especialmente difícil para ellos, qué soluciones descubrieron, y qué es lo que desean haber hecho diferente. Para padres que buscan formas de fortalecer su matrimonio, prevenir luchas futuras o resolver o avanzar dificultades significativas en la relación, esta guía ofrece una orientación y experiencia para ir al siguiente nivel. Esta obra también es invaluable para profesionistas de salud mental, a quienes da una vista realista de lo mucho que sus clientes enfrentan en la vida diaria.

Different Dream Parenting [Paternidad soñada diferente], por Jolene Philo (1 de noviembre del 2001). La paternidad puede ser difícil y cansada, especialmente cuando uno tiene niños con necesidades médicas, de comportamiento o educativas. En este libro, la autora ofrece orientación y te guía a través de conocimientos bíblicos y de su experiencia personal. Encuentra sabiduría espiritual, recursos prácticos y herramientas que pueden ayudarte a convertirte en defensor extraordinario de la niñez. Descubre cómo puedes moverte más allá de los retos y las experiencias, y la alegría de ser el defensor más grande y mejor de los niños.

Faith, Family, and Children with Special Needs [Fe, familia y niños con necesidades especiales], por David Rizzo (1 de abril del 2012). Es suficientemente difícil para los padres de hoy criar a niños en la fe. Pero para los padres de niños con necesidades especiales, los retos son casi insoportables; la espiritualidad de esos padres puede sufrir, en medio de la vida diaria, obstáculos al criar a niños con discapacidades, y ellos quizá se pregunten cómo, o si quizá sus hijos pueden alguna vez experimentar el significado de la vida espiritual. En el libro, el autor, con una hija de 12 años con autismo, ofrece gran esperanza para padres que quieren crecer en su propia espiritualidad, mientras ayudan a sus hijos con discapacidades a experimentar a Dios de una manera más profunda. A través del libro, el pensamiento permanente del autor algunas veces prueba la fe católica. Explica todo desde la práctica, y presenta cómo los padres y las madres pueden mantener la sanidad durante el servicio, cuando el niño con necesidades especiales se vuelve inquieto, tal como los padres pueden entender a Dios en formas relevantes a sus necesidades. Así mismo, el consejo de Rizzo, tiene como objetivo ayudar al crecimiento del niño en su propia fe, y explica cómo la niñez con necesidades especiales puede participar significativamente en la eucaristía.

Ha nacido una madre especial, por Leticia Velásquez (2013). Si se ha enfrentado con el diagnóstico prenatal, o está criando a un hijo con necesidades especiales, este libro es para usted. Treinta y tres padres que han caminado en sus zapatos, comparten cómo han encontrado a Cristo a su lado en la oscuridad. Usted no está solo.

Autism's Hidden Blessings [Las bendiciones ocultas en el autismo], por Kelly Langston (9 de marzo del 2009). Este libro es aliento e inspiración para familias con hijos con necesidades especiales: Dios tiene un propósito magnífico y único para cada niño, un propósito que es no menos importante para la niñez con necesidades especiales. En la historia de sus propias luchas y victorias criando a su hijo autista, Kelly Langston trae a la luz las promesas de Dios para niños excepcionales, y explora el tema de los pactos sobresalientes que animan en su potencial y belleza a los padres de niños con necesidades especiales.

1001 Great Ideas for Teaching and Raising Children with Autism or Asperger's [Las 1001 grandiosas ideas de enseñanza y crianza de niños con autismo o asperger], 2.ª edición, por Ellen Notbohm, Verónica

Zysk y Temple Grandin (28 de febrero del 2010). Ganador del premio de la revista *Elección de profesores*, la primera edición del libro ha sido atesorada como recurso en la comunidad autista desde el 2004. En esta edición actualizada y aumentada, los autores presentan a padres y educadores más de 1800 ideas, consejos y estrategias. Incluye más de 600 nuevas ideas para incorporar, mientras muchas ideas que se agregaron no aparecen en la primera edición, ofreciendo modificaciones para niños mayores, perfeccionando en retos de Asperger y mejorando en maneras ya efectivas de ayudar a niños o estudiantes a lograr el éxito en casa, en la escuela y en la comunidad. El tiempo es dinero, y este libro te ahorra las dos cosas. Tu parada a la solución, explicaciones y estrategias. Rápidamente encuentra ideas que hablan de la variedad de niveles de desarrollo, estilos de aprendizaje y habilidades inherentes en niños con autismo y asperger. Las publicaciones sobre el autismo pueden ser costosas, y muchas veces los lectores pueden obtener solamente algunos puntos claves de cada recurso. Los autores te han ahorrado miles de horas y dinero, mezclando el conocimiento de los expertos más increíbles con su propia riqueza de humor inigualable, sentido común y experiencia. Esta obra es la línea inicial que está buscando, la «madre» de las estrategias y la inspiración a la que regresarás una y otra vez. No dejes que la tradición y el hábito se interpongan en el camino de lo que tu hijo o estudiante puede hacer. Lee este libro primero, y estarás en el camino a un brillante futuro de enseñanza y crianza del niño con autismo y asperger.

Big Daddy's Tales [Historias de Big Daddy], por F. Lewis Stark (21 de abril del 2011). ¿Qué es lo que elevadores, el querido actor Wilford Brimley, mapas de centros comerciales, luces intermitentes de tráfico, canal de TV del clima, y comerciales de seguros tienen en común? Nada más que todos ellos están en la lista de pasatiempos e intereses favoritos de Griffin. A través de los años, Griffin ha aceptado estos simples placeres con la misma pasión que algunos niños guardan para sus equipos profesionales favoritos. Una vez escuchado el diagnóstico de Griffin, de autismo, hace más de una década, sus padres sintieron que su mundo se terminaba. Ellos muchas veces desearon que hubiesen recursos disponibles para mostrar, de una manera ligera y llena de humor, que tener un niño con discapacidades no es todo pesimismo y fatalidad sino más bien puede ser divertido. Primero con su blog divertido y ahora con este libro. El papá de Griffin ha tratado de llenar su vacío y lanzar una cruzada de consejos, para hacer del conocimiento público que la vida no termina con el diagnóstico de una discapacidad cognitiva.

Wit and Wisdom from the Parents of Special Needs Kids [El ingenio y la sabiduría de padres con niños con necesidades especiales], por Lynn Hudoba (13 de septiembre del 2011). El libro trae docenas de los mejores escritores de blogs, que comparten sus historias de los retos y las gratificaciones de criar a niños con autismo, y otras necesidades cognitivas. Más de cuarenta ensayos están incluidos en esta compilación única, cubriendo tópicos tales como problemas sensoriales, dificultades de interacción social, el impacto sobre el matrimonio, hermanos típicos, el mundo de educación especial y terapias. Estos padres cubren una gama extensa de experiencias (p. ej., desde recibir el diagnóstico para sus hijos, hasta reconsiderar sus expectativas para el futuro de cómo dejar a su hijo ser un adulto joven), también un espectro emocional de tristeza y pérdida, de las frustraciones de asimilar hijos no típicos en un mundo típico, hasta la alegría de vivir entre sus obsesiones y divertidas peculiaridades. El libro lo deben leer todos aquellos para quienes su vida ha sido afectada por discapacidades intelectuales. Cada padre y madre de un niño con necesidades especiales se identificará con las experiencias de vida incluidas en el libro, que son tan variadas, únicas e inspiradoras como los niños mismos.

Recursos para la niñez

We're Different, We're the Same [Somos diferentes, somos lo mismo], por Bobbi Kates y Joe Mathieu (13 de octubre de 1992). Ilustrado a todo color, los personajes de Plaza Sésamo enseñan a los niños pequeños acerca de la armonía racial. Marionetas, monstruos y humanos comparan nariz, cabello y piel, y descubren lo diferentes que son. Pero al mirar más al fondo, descubren cuánto se gustan unos a otros.

Making Friends is an Art! [¡Hacer amigos es un arte!], por Julia Cook y Bidget Barnes (12 de marzo del 2012). Conoce a Marrón, el último lápiz usado en la caja. Él es alto, sensiblero y solitario. Marrón envidia a Rojo, Morado, Azul, y a todos los otros lápices que tienen divertidos colores y juegan juntos. Verde es digno de confianza; Rosa escucha bien; Naranja es divertido; y ¡a todos les gusta Rojo! Marrón no sonríe porque no es usado muy a menudo, y muy pocas veces necesita ser afilado. Cuando Marrón pregunta a los otros colores por qué a nadie les gusta, descubre que para tener amigos, necesita ser un buen amigo. Si Marrón aprende a usar las capacidades de amistad que los otros lápices tienen, él puede hacer amigos, ¡y también divertirse! En su estilo humorístico, la autora Julia Cook, enseña a niños de todas las edades (y a los adultos también), cómo practicar el arte de la amistad y a llevarse bien con otros. Este título es el primero en la serie de libros «Construcción de relaciones» que se enfoca en capacidades para niños. Incluidos en el libro hay consejos para padres y maestros, sobre cómo ayudar a niños que sienten que han sido dejados atrás y tienen problemas para hacer amigos.

The Special Needs Acceptance Book [El libro de aceptación de las necesidades especiales], por Ellen Sabin (1 de julio del 2007). Es un libro interactivo, educativo y de construcción de carácter, que introduce a los niños a los retos enfrentados por personas con necesidades especiales, mientras que también apoya en su jornada personal, apreciando y respetando las diferencias de la gente. Este libro ofrece información educativa, inicio de conversación, y ejercicios que invitan a los niños a «caminar en los zapatos del otro», al tiempo que aprenden a tratar a otros de la misma manera en que les gustaría ser tratados. El libro cubre un rango de discapacidades, incluyendo autismo, síndrome de Down, parálisis cerebral, fibrosis cística, discapacidad de aprendizaje como dislexia, ADHD, ceguera y sordera. Este es mucho más que un libro que enseña a los niños acerca de las necesidades especiales. Utiliza información narrativa y actividades comprometedoras, para ayudarles a desarrollar entendimiento, compasión y aprecio por gente diferente a ellos. Dejemos que usen su imaginación y los ejercicios para adquirir una mayor comprensión de algunos de los retos que, gente con necesidades especiales, quizá tengan. También fortalece a los niños ayudándoles a entender el poder de las acciones, y cómo ellos pueden ser buenos amigos del otro. Finalmente, muestra a los niños que todos somos diferentes, todos especiales, y a todos nos gusta ser aceptados y comprendidos.

The Autism Acceptance Book [Libro de aceptación del autismo], por Ellen Sabin (2006). Es un libro interactivo, educativo y de construcción de carácter, que introduce a los niños a los retos enfrentados por personas con autismo, mientras que también apoya en su jornada personal, apreciando y respetando las diferencias de la gente. Este libro ofrece información educacional, inicio de conversación y ejercicios que invitan a los niños a «caminar en los zapatos del otro», al tiempo que aprenden a tratar a otros de la misma manera en que les gustaría ser tratados.

Arnie and His School Tools [Arnie y sus herramientas escolares], por Jennifer Veenendall (1 de enero del 2008). Es un libro infantil ilustrado acerca del niño que tiene dificultad para poner atención en clase y hacer las tareas, hasta que es equipado con las herramientas para acomodar sus necesidades sensoriales. Escrito desde la perspectiva de Arnie, el libro usa lenguaje sencillo para describir algunas de las herramientas sensoriales y estrategias que usa en la escuela y en casa, para ayudarle a conseguir un nivel óptimo de alerta y desempeño. El libro crea un ambiente que es aceptado por estudiantes con dificultades moderadas de modulación, incluyendo muchos del espectro autista. Terapistas ocupacionales, maestros y padres encontrarán en este libro, una forma de introducir los estudiantes de primaria a las herramientas sensoriales usadas para ayudar a niños a enfocarse en el salón de clases, tales como agitación nerviosa, morder las tapas de los lápices, y chalecos con peso. Recursos adicionales son dados al final del libro, incluyendo definiciones de procesos sensoriales y desorden sensorial de modulación, cuestiones de discusión sugeridas y listas de libros y sitios electrónicos relacionados.

Why Does Izzy Cover Her Ears? [¿Por qué Izzy se cubre los oídos?], por Jennifer Veenendall (18 de mayo del 2009). Izzy es una niña luchadora de primer grado, cuyo comportamiento es a veces malentendido al momento que trata de luchar con sobrecargas sensoriales en su nuevo ambiente escolar. Este libro brillantemente ilustrado crea un ambiente que es la aceptación de estudiantes con dificultades sensoriales de modulación, incluyendo muchas del espectro autista. Es un recurso valioso para terapeutas ocupacionales, maestros y padres para compartir con sus hijos. Los recursos para adultos al final del libro incluyen definiciones de procesos sensoriales del desorden de modulación, temas de discusión sugeridos y una lista de libros y sitios web relacionados.

Squirmy Wormy [Cómo aprendí a ayudarme a mí mismo], por Lynda Farrington Wilson (1 de diciembre del 2009). Este es un libro maravilloso para niños acerca de un niño llamado Tyler, quien tiene autismo y desorden de proceso sensorial. Junto con Tyler, el lector aprende acerca del padecimiento y lo que las terapias diarias, que puede hacer él mismo, le harán para sentirse bien. Por ejemplo, «Tengo ganas de correr muy rápido, ¡corre, corre, corre! Quizá solo necesite un apretón entre los colchones del sillón para sentirme como un *hot dog*. ¡Bien! Me siento mejor». Aprobado por el doctor Temple Grandin, este libro sin duda ayuda a muchos niños, a quienes quizá ni siquiera sabían que tienen el síndrome, a llevar vidas más tranquilas y enriquecedoras.

The Chameleon Kid [El niño camaleón], por Elaine Marie Larson (9 de julio del 2008). Una crisis ocasional es una realidad para la mayoría de los niños, así como para sus padres y maestros. Pero para un niño con ASD, las crisis son frecuentes, explosivas y duraderas. En el libro, el autor invita a la niñez a controlar interiormente al personaje al acecho llamado Meltdown, evocando habilidades adaptables del camaleón. Apoyada en ilustraciones tipo caricatura, Elaine Marie Larson usa versos pequeños para presentar varias reacciones que el personaje malo, Meltdown, puede causar, seguidas de consejos de cómo el Niño Camaleón puede adaptar sus emociones y aptitudes, para prevenir que Meltdown tome su lugar. En el proceso, el lector aprende varios métodos para autoregular sus emociones. El libro también explica más de 12 modismos relacionados con las emociones.

When My Worries Get Too Big! [Cuando mis preocupaciones se vuelven demasiado grandes], por Kari Dunn Buron (1 de mayo del 2006). La idea de perder control puede causar problemas mayores para los niños que han vivido con ansiedad. Ahora, padres, maestros y niños tienen una herramienta útil que provee a los niños pequeños la oportunidad de explorar sus propios sentimientos con padres o maestros, al reaccionar a eventos en su vida diaria. Fácil de usar, este libro está lleno de oportunidades para que niños participen en el desarrollo de sus propias estrategias para autotranquilizarse. Los niños que usan las estrategias que se incluyen en este libro, ilustrado por el autor, se tornan relajados y listos para enfocarse en el trabajo o el juego. *What's That Look on Your Face?* [¿Qué significa esa mirada en tu rostro?], por Catherine S. Snodgrass (1 de octubre del 2008). Reconocer las expresiones faciales y los sentimientos que representan es un gran reto para los niños con dificultades de lenguaje y comunicación, incluyendo a quienes tienen trastorno del espectro autista. Este libro, sorprendentemente ilustrado, ayuda a pequeños lectores a enlazar los gestos con sentimientos, presentando situaciones a las que se pueden relacionar. Cada página expresa su devoción al sentimiento expresado a través de expresiones faciales exageradas, acompañadas de poemas cortos que refuerzan la elaborada expresión indicada.

Sensitive Sam [El sensible Sam], por Marla Roth-Fisch (1 de febrero del 2009). Apropiado para niños, niñas, familias y profesionales, este buen libro trae a la vida la historia de Sam, cuyo exceso de sensibilidad crea caos y frustración en su vida. La diversidad sensorial de Sam, afecta sus experiencias, tanto en la casa como en la escuela. Él lleva al lector a través de su típico día de desatinos sensoriales, con los que muchos niños, tanto en el salón como en la escuela se enfrentan. Finalmente, por sugerencia del profesor de Sam, sus padres lo llevan a ver un terapeuta ocupacional. Sam describe el proceso desde la perspectiva infantil, que seguro calma al lector joven que quizá también esté enfrentando los mismos retos. Con la terapia ocupacional, una nueva dieta «sensorial» y el amor y apoyo de su familia, Sam concluye: «Enfrentar retos sensoriales requiere paciencia y amor. ¡Ahora me encanta hacer muchas cosas que antes odiaba!».

Qué puedo hacer cuando refunfuño demasiado, por Dawn Huebner y Bonnie Matthews (julio del 2010). Este libro, guía a niños, niñas y padres a través de algunas técnicas cognitivas y de comportamiento, que son generalmente usadas en el tratamiento de la ansiedad.

Este libro interactivo y de autoayuda, es un recurso completo para la educación, la motivación y la fortaleza de los niños para salir de sus crecientes preocupaciones.

¿Qué puedo hacer cuando estallo por cualquier cosa?, por Dawn Huebner y Bonnie Matthews (noviembre del 2011). ¿Sabías que la ira es como el fuego? Empieza con una chispa, llenándonos con energía y determinación. Pero también se puede salir de control, causando muchos problemas. Si eres un niño con temperamento que se enciende rápido, cuyo enojo crece en tamaño y rapidez, este libro es para ti. El libro guía a la niñez y sus padres, a través de técnicas de comportamiento cognitivo, a tratar problemas de enojo e ira. Muestra ejemplos, animadas ilustraciones, e instrucciones paso a paso, que enseñan a los niños métodos llenos de pensamientos, de enfriamiento emocional y control de acciones de ira, resultando en calma y efectividad para los niños. Este libro interactivo de autoayuda, es un recurso completo para la educación, la motivación y el fortalecimiento de los niños que desean trabajar por un cambio.

Wilma Jean the Worry Machine [Wilma Jean, la máquina de preocupación], por Julia Cook y Anita DuFalla (15 de enero del 2012). La ansiedad es una idea subjetiva de preocupación, aprehensión o miedo. Es considerada como el problema principal en América. Sin embargo, comúnmente los desórdenes de ansiedad en niños y niñas son mal diagnosticados e ignorados. Todos sentimos miedo, preocupación y aprehensión en algunas ocasiones, pero cuando esos miedos impiden que la persona haga lo que necesita hacer, la ansiedad se convierte en una discapacidad. Este libro divertido muestra el problema de la ansiedad en una forma que se relaciona con niños de todas las edades. Ofrece estrategias creativas a los padres y maestros, para usar y disminuir la severidad de la ansiedad. La meta del libro es dar a los niños las herramientas necesarias para que tomen control sobre la ansiedad.

Para esas preocupaciones que están sin control (por ejemplo, el clima), un sombrero de preocupación es introducido. Es una lectura divertida para niños de todas las edades.

Cómo superar los miedos y preocupaciones: Una guía para niños, por James J. Crist (15 de enero del 2004). Desde el miedo a las arañas hasta ataques de pánico, los niños tienen miedos y preocupaciones, tal como los adultos. Este libro infantil es donde los niños pueden mirar cuando necesitan consejo, seguridad e ideas. Descubrirán de dónde vienen los miedos y las preocupaciones; practica «Cazadores del miedo y borradores de preocupación», y aprende a buscar ayuda para los miedos difíciles de sobrepasar, que no puedes controlar por ti mismo.

¡No me gusta cómo se oye no! por Julia Cook y Kelsey De Weerd (agosto del 2013). «No» es la palabra menos favorita de RJ, por eso trata lo mejor que puede de convencer a su papá, a su mamá y a su maestro de convertir un «no» en un «quizá», un «veremos», un «después» o un «déjame pensarlo». Aun cuando no tiene mucho éxito, RJ continúa discutiendo hasta que sus maestros sugieren que trate de unirse al Club Diga Sí al No de su salón de clases. Si RJ puede aprender cómo aceptar un «no» como respuesta y apropiadamente, aunque no esté de acuerdo con sus padres y maestros, podría unirse al Tablero de estrellas. RJ descubre que muchos premios y reconocimientos llegan a él, cuando utiliza sus capacidades en la forma correcta. La autora ayuda a los lectores a reír y aprender junto con RJ, al tiempo que este entiende los beneficios de demostrar estas capacidades sociales tanto en la casa como en la escuela. En este libro encontrarás consejos para padres y educadores sobre cómo enseñar y animar a los niños a utilizar sus capacidades de aceptación de la palabra «No» como respuesta. Este libro está disponible junto a un CD de audio, leído por el autor. Ganador del Premio 2011, *Mom's Choice* de excelencia honoraria y el sello de aprobación del Centro de Paternidad Nacional.

Mi amigo tiene el síndrome de Down, por Jennifer Moore-Mallinos y Marta Fabrega (1 de octubre del 2008). El libro sensiblemente escrito, anima a niños y niñas de nivel preescolar y edades tempranas, a explorar sentimientos, enfrentar problemas que los preocupan, y a entender a otros que también tienen sus propios problemas. Cada tema habla de preocupaciones que los niños quizá encuentren en su crecimiento. Todos los libros de esta serie tienen ilustraciones coloridas en cada página, y están disponibles tanto en inglés como en español. Una pequeña sección al reverso de cada libro ofrece consejos a los padres. El libro describe la condición que afecta a muchas familias. Los niños pequeños son normalmente afectados cuando se encuentran con otros niños que sufren síndrome de Down. Aquí está una reconfortante y tranquilizadora historia de cómo un niño ordinario logra entender y hacerse amigo de otro niño que tiene síndrome de Down.

My Friend Isabelle [Mi amiga Isabelle], por Eliza Woloson y Bryan Gough (1 de octubre del 2003) (Ganador del Premio iParenting Media 2004). Isabelle y Charlie son amigos. A los dos les gusta dibujar, bailar, leer y jugar en el parque. A los dos les gusta comer Cheerios. Los dos lloran cuando sus sentimientos son lastimados. Y como todos los amigos, también son diferentes uno del otro. Isabelle tiene síndrome de Down. Charlie no lo tiene. Escrito por la madre de Isabelle, también abre la puerta para niños pequeños a hablar acerca de sus diferencias y del mundo alrededor de ellos. Es una historia maravillosa para leer antes de dormir o para compartir en la escuela. Llena de coloridas ilustraciones con textos que traen la historia a la vida.

In Jesse's Shoes [En los zapatos de Jesse], por Beverly Lewis (1 de octubre del 2007). En este libro ilustrado, la autora, que ha sido premiada como autora de éxitos de ventas del New York Times, ayuda a niños a entender y apreciar a aquellos con necesidades especiales. Para niños de 4 a 9 años.

My Brother Charlie [Mi hermano Charlie], por Holly Robinson Peete, Ryan Elizabeth Peete y Shane Evans (16 de marzo del 2010). Del autor de éxitos de ventas y la actriz Holly Robinson Peete, la obra es una conmovedora historia acerca de un niño que tiene autismo, basada en el hijo de 10 años de Holly, que tiene esa condición. «Charlie tiene autismo. Su cerebro trabaja de una manera especial. Es más difícil para él hacer amigos. O mostrar sus verdaderos sentimientos. O permanecer seguro». Pero como su hermana mayor nos dice, por cada cosa que Charlie no puede hacer bien, hay infinidad de cosas en las que es bueno. Él sabe los nombres de todos los presidentes norteamericanos. Sabe cosas acerca de aviones. E incluso, puede tocar el piano mejor que cualquier otra persona que jamás haya conocido. La actriz y portavoz, Holly Robinson Peete colabora con su hija en este libro.

Con aprecio a Joyce Davison, bibliotecaria de la Iglesia Episcopal de St. George's en La Canada, CA., por recomendarme los libros anteriores y los títulos siguientes. (Joyce también ha estado asociada con el programa de terapia equina para niños discapacitados y con necesidades especiales, llamado AHEAD With Horses, desde 1982: «Ahí enseñamos a los niños a través de Los Ángeles y ciudades aledañas a llevar vidas maravillosas»).

Not My Boy! [No a mi hijo], por Rodney Peete (2010). Una mirada dentro de la jornada de un padre y su hijo con autismo, y una peculiar e inspiradora ruta que ayudará a familias a enfrentar retos similares para avanzar en la vida.

What's Wrong With Timmy? [¿Qué le pasa a Timmy?], por Maria Shiver (2001). Haciendo amigos con un niño mentalmente discapacitado, ayuda a Katie a aprender que tienen mucho en común. Esta es una buena forma de enseñar a los niños a aceptar a la niñez con necesidades especiales en la escuela y en el vecindario.

Many Ways to Learn [Muchas formas de aprender], por Judith M. Stern (2011). El libro explica las muchas formas en que las discapacidades afectan a los niños en la escuela, en el hogar y con los amigos. Está bien plasmado con divisiones claras de temas, es fácil de leer y es muy ilustrativo. Contiene buena información con muchas sugerencias para que los adultos puedan ayudar a los niños.

La reverenda Susan Bek, de la Iglesia Episcopal de St. Stephen, compiló la mayor parte de la lista que hemos presentado, basándose en su experiencia de 15 años como Directora del ministerio de jóvenes y niños en St. Stephen, y también como madre de cuatro hijos, dos de los cuales tienen discapacidades de desarrollo mental.

CAPÍTULO 12

Conclusión:
Nos queda mucho por hacer

Luego de repasar algunos conceptos que constituyen el fundamento de nuestros programas de educación cristiana para la niñez de nuestras congregaciones, es necesario afirmar que nos resta mucho por investigar, descubrir, conocer y hacer, además de que hay nuevos caminos que transitar. Es importante que la iglesia del Señor y sus líderes, repasemos y contextualicemos el programa de educación cristiana que desarrollamos en nuestras congregaciones. Vivimos en un siglo desafiante que exige de nosotros que volvamos a revisar los procesos de enseñanza y aprendizaje que se relacionan al conocimiento bíblico y teológico del evangelio de Jesucristo.

Estamos en medio de una sociedad cambiante y desafiante, y en un mundo complejo. El perfil de la población ha cambiado, y la tecnología llegó para quedarse. Esas, y otras realidades que no podemos ignorar, nos llevan a buscar nuevas estrategias de estudios, para desarrollar programas de educación cristiana noveles, gratos, relevantes y transformadores. Para lograr esas metas, es necesario que se planifique, implemente, evalúe y se desarrollen nuevos procesos pedagógicos que respondan a la totalidad de las necesidades de nuestro pueblo. Sabemos del gran interés de los maestros de ser eficientes y el deseo de mejorar sus métodos de enseñanza. Por eso es importante que el liderato de las iglesias considere que estos maestros voluntarios necesitan preparación, educación continua y buenos materiales de estudio que les ayuden a enfrentar la complejidad del contenido que van a abordar con sus estudiantes. Ignorar, o no incorporar en el proceso educativo a toda la niñez que llega a las congregaciones, no representa el mensaje de amor, misericordia y compasión que afirmó Jesucristo.

Importancia de los términos

El término «impedido» es una palabra fuerte, que produce preocupación en la sociedad, incluyendo a la iglesia del Señor. A pesar de esa realidad, se ha logrado avanzar en el trato, el acercamiento y los programas para ese singular sector de la población tan importante en nuestras familias. Poco a poco se ha logrado desmantelar muchos de los prejuicios que rodean a las personas con diversas discapacidades, incluyendo a sus padres.

Cuando tratamos de definir los términos autismo, síndrome de Down y otras condiciones en la niñez, en algunos casos, se manifiesta un prejuicio o percepción negativa sobre la persona que lo padece, y de manera implícita, se presenta una especie de sentencia definitiva de exclusión en la sociedad. Por otro lado, se tiene la percepción de que, a una persona incapaz de comunicarse eficazmente con los demás, hay que aislarla y percibirla como encerrada en un tipo de campana de cristal, en su maravilloso mundo interior.

El corazón de la educación: Servir y amar

Como creyentes y educadores cristianos, nuestro fundamento al servir y trabajar en el reino de Dios, especialmente con los «ángeles que brillan», debe ser el amor, que está por encima de cualquier estigma, en especial el prejuicio social que aísla a la niñez con necesidades especiales y la hace sentir como un cuerpo extraño. No debemos fomentar la sensación de soledad y rechazo que a menudo se vive en nuestros pueblos, y que se hace presente en la sociedad moderna que avanza con su tecnicismo para excluir, ignorar y lastimar. Es de conocimiento público que en muchas ocasiones se les niega o se les limita sus derechos de salud y bienestar. Esas acciones lamentables deben ser rechazadas por la iglesia, y atendidas con responsabilidad en sus dimensiones emocionales, físicas, sicológicas y espirituales que se merecen nuestros niños.

Frente a los problemas y las dificultades que enfrentan los «ángeles que brillan» y sus padres, la iglesia debe preparar el camino del servicio a esta población que sufre, llora, se lamenta, se separa y se siente sola. Como creyentes estamos llamados a acompañarlos con compasión y ternura, en su difícil camino humano y sicológico. Lo podemos lograr mediante una acción educativa de calidad, dirigida y efectiva, de hermanos y hermanas de buena voluntad, dispuestos a prepararse para servir y alcanzar un milagro.

«Si hablo en lenguas humanas y angelicales, pero no tengo amor, no soy más que un metal que resuena o un platillo que hace ruido. Si tengo el don de profecía y entiendo todos los misterios y poseo todo conocimiento, y si tengo una fe que logra trasladar montañas, pero me falta el amor, no soy nada. Si reparto entre los pobres todo lo que poseo, y si entrego mi cuerpo para que lo consuman las llamas, pero no tengo amor, nada gano con eso. Ahora, pues, permanecen estas tres virtudes: la fe, la esperanza y el amor. Pero la más excelente de ellas es el amor» (1 Co 13.1-3, 13, NVI).

Para vivir a la altura del amor que se describe en 1 Corintios 13, el tema de la integración de los niños con necesidades especiales en el programa de educación cristiana, debe ser prioridad y una necesidad que no se debe posponer. Y se debe incluir a esta población y sus programas en el presupuesto de las congregaciones. Es necesario escoger e invertir en los mejores seminarios y talleres que preparen a los próximos líderes de estos proyectos.

Con estos nuevos ministerios efectivos de enseñanza, el sistema educativo de la iglesia sacará provecho de las modificaciones que será necesario efectuar para responder a las necesidades de los niños con alguna discapacidad. Esta respuesta de servicio y amor al prójimo ayudará a preparar un contexto educativo adecuado para todos los alumnos.

Al principio de este trabajo señalé que la sociedad donde vivimos, y los estudios pertinentes ya realizados, indican que las personas discapacitadas figuran como uno de los grupos de la comunidad menos favorecidos. Por tal razón, se requiere que los gobiernos los incorporen en sus proyectos de educación efectiva para toda la comunidad. Muchos países ya comenzaron a implantar este proyecto humanitario y de igualdad para todos.

En el ámbito eclesiástico, algunas iglesias con esta población infantil de «ángeles que brillan», no apoyan a estos niños que tanto necesitan ser amados y atendidos. No se acercan a esta parte de la creación de Dios como se merece. Es necesario recordar que ellos son enviados de Dios. Llegaron para enseñarnos lo importante que es demostrar el amor, la sensibilidad, la compasión, el compromiso con este sector tierno y sensible que debemos educar y dignificar.

Somos parte del pueblo de Dios, y como parte de la comunidad de creyentes, afirmamos los valores cristianos. Ese fundamento de nuestra fe nos permite movernos en acciones de amor, compasión y servicio hacia nuestro prójimo. En todo momento, en todos los tiempos y frente a todo tipo de situación debe florecer en nosotros el deseo de servir.

Especialmente, con los más frágiles y necesitados, nuestra posición debe ser clara y firme: Extender nuestras manos para levantar al caído y ayudar al necesitado. Nuestro llamado es brindar toda la ayuda que esté a nuestro alcance a la niñez con necesidades especiales. ¡Hay mucho que podemos hacer con esta extraordinaria población infantil!

Los adultos, los jóvenes y la niñez pueden bendecir con decisiones y acciones a esta población que cada día aumenta. La lista de ayuda y de lo que se puede hacer es larga, pero sencilla: Desde llevarles los libros, hasta hacer algo tan fácil como invitarlos a almorzar con otros amigos y amigas. En ocasiones es necesario darles la mano cuando caminan por lugares difíciles para ellos, estudiar juntos en grupos pequeños, visitarlos en sus hogares dependiendo cómo sea el caso o la condición.

Las iglesias y toda la comunidad de fe, deben preocuparse por concienciar a todos sus miembros sobre la importancia de incorporar a niños con necesidades educativas especiales en sus áreas de servicio, no solo por las ventajas que estas iniciativas tendrán para quienes directamente se benefician de ellas (y esa persona podríamos ser, un día, nosotros mismos), sino por la oportunidad que hay para el desarrollo de la calidad humana, del sentido de comunidad y de responsabilidad cristiana.

¡Mucho bien haremos al incorporar estos niños en nuestros centros educativos! Las iglesias están llamadas a convertirse en instituciones inclusivas que den ejemplo a la comunidad y formen ciudadanos preparados para tratar con la diversidad en todas sus formas.

Saber manejar estas situaciones es un aprendizaje mucho más valioso que los contenidos educativos. La incorporación de la diversidad en la iglesia da paso a escenarios que favorecen el aprendizaje de habilidades interpersonales y de formación de valores, que son las mejores voces del éxito de la educación cristiana. Por tal razón, las iglesias relevantes son las congregaciones de calidad, enfocadas en el servicio y en las transformaciones de los seres humanos.

En efecto, no podemos nunca olvidar que esa comunidad de niños con necesidades especiales fue creada por Dios, y todo lo que Dios hace es bueno.

Bibliografía

Aleshire, D., «Educación cristiana y teología». B. Powers (Ed.), Manual de educación cristiana. Texas, EUA: Mundo Hispano, 2006.

Barbara J. Newman, *El autismo y tu iglesia*. Grand Rapids: Ministerio Amistad, 2013.

Barth, K. *Introducción a la Teología Evangélica*. Salamanca: Sígueme, 2006.

Calvino, J. *Institución de la religión cristiana*. Grand Rapids: Desafío, 2012.

Cristian Sepúlveda Ibarra y Sebastián Romero Orellana. Trabajo sobre educación teológica en el siglo 21. Chile: 2018.

De Jong, N. *Educación en la verdad*. Guadalupe, Costa Rica: Clie, 2010.

Emilio A. Núñez. «Los desafíos del futuro para la educación teológica». Guatemala: Boletín de la Asociación Latinoamericana de instituciones de Educación Teológica, 1991.

«Educación y mercado del trabajo en América Latina frente a la globalización». Revista CEPAL, 2012.

Fennema, J. *Enseñando a la niñez en el Señor*. Guadalupe, Costa Rica: Clie, 2011.

Fernandes, J. *Breve histórico da Educação Teológica Superior*. Belém, Brasil: Paka-Tatu, 2013.

Freire, P. *La educación como práctica de la libertad*. Siglo XXI, México DF, 2007.

Bibliografía

Garza Fernández Fco. Javier. Artículo, ¿Las personas con autismo tienen sentimientos?, Autismo Diario, Reflexiones sobre el autismo, Aprendiendo de maestros, 2007.

Gloria da Graça de Deus (675-691). São Paulo, Brasil: Fiel, 2012.

González, J. *Breve Historia de la Preparación Ministerial.* Barcelona: Clie, 2013.

Greenway, R. *Vayan y hagan Discípulos.* Grand Rapids, Michigan: Desafío, 2004.

Gruden, W. (2007). *Teología Sistemática.* Miami: Vida, 2007.

Hodge, Ch. *Teología Sistemática.* Barcelona: Clie, 2010.

James D. Smart, Book Review: No better beginning. 1963.

Lopes, A. (2004). Educação Teológica Reformada. Revista Fides, 2004,

Reformata. Volumen IX (Número 2).

Maia, H. *Introdução a educação crista.* Brasília, Brasil: Monergismo, 2013.

María Ester H. De Sturtz, *El ministerio a los niños es cosa de grandes*, Editorial Concordia, St. Louis, MO, 2004.

Marlene D. LeFever, Estilos de aprendizaje, Biblioteca del educador cristiano, Patmos, Miami, FL, 2003.

Marlene D. LeFever, Métodos creativos de enseñanza, Biblioteca del Educador Cristiano, Patmos, Miami, FL, 2004.

Morales, P. «Uma Educação Integral e Transformadora». Em F. Ferreira (Ed.), A

Leland Ryken, *Worldly Saints* [Santos en el mundo]. Zondervan, 1990.

Pablo A. Jiménez, *Principios de educación cristiana,* Abingdon Press, Nashville, TN, 2003.

Pérez Porto Julián y Ana Gardey. *Definición de teología*, publicado, 2008 y actualizado, 2012.

Preiswerk, M. *Tramas pedagógicas en la teología*. La Paz, Bolivia: SPT, 2013.

Riviére Ángel. Artículo, ¿Qué me diría una persona con autismo?, Autismo Diario, Reflexiones sobre el autismo, Aprendiendo de maestros, 2007.

Ryken, L. *Santos no Mundo*. São Paulo, Brasil: Fiel, 2015.

Sicre, J.L. (2003). «El Legado Judío. En Sotomayor M & Fernandez, J. (Ed.)», Historia del Cristianismo I El Mundo Antiguo. (17-68). Granada: Trotta: 1994.

Stegemann, E. *Historia social del cristianismo*. Navarra: Verbo Divino, 2001.

Suazo, D. *La función profética de la educación teológica*. Barcelona: Clie, 2012.

Suazo, D. (2004). La educación teológica y el contexto global. En O. Campos (Ed.), Teología evangélica para el contexto latinoamericano (pp. 247-265). Buenos Aires, Argentina: Editorial Kairós, 2004.